Collection QA **compact**

Cassiopée

De la même auteure

Romans

Cassiopée - L'Été polonais, Montréal, Québec Amérique, 1988.

- Prix du Gouverneur général
- Traduit en suédois, en espagnol, en catalan et en basque

Cassiopée - L'Été des baleines, Montréal, Québec Amérique, 1989.

L'Homme du Cheshire, Montréal, Québec Amérique, 1990.

La Route de Chlifa, Montréal, Québec Amérique, 1992.

- Prix du Gouverneur général, Prix Alvine-Bélisle, Prix Brive-Montréal
- Traduit en anglais, en danois et en néerlandais

Les vélos n'ont pas d'états d'âme, Montréal, Québec Amérique, 1998.

- Mention spéciale du jury - Prix Alvine-Bélisle
- Traduit en anglais

Rouge poison, Montréal, Québec Amérique, 2000.

- Prix du livre M. Christie 2001

Marion et le Nouveau Monde, Saint-Lambert, Dominique et compagnie, 2002.

Cassiopée, QA Compact, Montréal, Québec Amérique, 2002.

Albums

Cendrillon, Montréal, Les 400 coups, 2000.

L'Affreux, Montréal, Les 400 coups, 2000.

Michèle Marineau

Cassiopée

roman

ÉDITIONS QUÉBEC AMÉRIQUE
329, RUE DE LA COMMUNE OUEST, 3 ÉTAGE, MONTRÉAL (QUÉBEC) H2Y 2E1 (514) 499-3000

Données de catalogage avant publication (Canada)

Marineau, Michèle

Cassiopée

(Collection QA compact ; 10)
Publié antérieurement sous les titres : Cassiopée ou L'Été polonais. c1988 ; et, L'Été des baleines. c1989

ISBN 2-7644-0180-9

I. Titre. II. Titre : Cassiopée ou L'Été polonais. III. Titre : L'Été des baleines.

PS8576.A657C37 2002 C843'.54 C2002-940721-4
PS9576.A657C37 2002
PQ3919.2.M37C37 2002

La présente édition comporte plusieurs changements par rapport aux textes originaux.

Nous reconnaissons l'aide financière du gouvernement du Canada par l'entremise du Programme d'aide au développement de l'industrie de l'édition (PADIÉ) pour nos activités d'édition.

Gouvernement du Québec – Programme de crédit d'impôt pour l'édition de livres – Gestion SODEC.

Les Éditions Québec Amérique bénéficient du programme de subvention globale du Conseil des Arts du Canada. Elles tiennent également à remercier la SODEC pour son appui financier.

Dépôt légal : 3e trimestre 2002
Bibliothèque nationale du Québec
Bibliothèque nationale du Canada

Mise en pages : Andréa Joseph [PAGEXPRESS]

www.quebec-amerique.com

À Catherine et Philippe,
comme toujours.

Et à François,
pour toujours.

L'ÉTÉ POLONAIS

Je voudrais voir la mer
Quand elle est un miroir
Où passent sans se voir
Des nuages de laine
Et les soirs de tempête
Dans la colère du ciel
Entendre une baleine
Appeler son amour

Michel Rivard
Je voudrais voir la mer

CHAPITRE

1

Pourtant, la semaine avait bien commencé. Enfin, comme d'habitude. Mais hier, jeudi si vous voulez savoir, ça s'est gâté. Un test de maths pourri, un feu sauvage en préparation (aujourd'hui il est là : j'ai un flair infaillible pour les prévoir, c'est même le seul domaine où je ne me trompe jamais), une chicane avec Suzie. Et, pour finir le plat, ma mère est en amour.

Oh ! elle dit que non, que c'est un ami, pas plus, une connaissance professionnelle. Ah oui ? Et depuis quand elle va passer des fins de semaine à New York avec des « connaissances professionnelles » ? Et qu'elle se donne la peine de renouveler sa garde-robe pour l'occasion ? Elle a même acheté un soutien-gorge en dentelle et la petite culotte assortie. Hier soir, quand je suis tombée dessus en fouillant dans ses affaires, ça m'a donné un coup. C'était du sérieux. On n'achète quand même pas un soutien-gorge en dentelle pour visiter des musées et parler du temps qu'il fait. Je ne savais pas trop quoi dire, alors j'ai dit n'importe quoi, j'ai dit que j'espérais qu'elle n'avait pas oublié les jarretières, noires de préférence, ça a beaucoup de succès auprès des vieux, les jarretières. Elle n'a pas répondu. Elle s'est contentée de me faire son drôle de sourire tout croche avec les sourcils levés.

J'ai continué à farfouiller dans ses vêtements. Si au moins elle s'était fâchée, j'aurais pu me fâcher, moi aussi, me mettre à crier, lancer ses affaires partout. Et j'aurais eu moins de mal à ne pas pleurer. Toute la journée, je m'étais retenue. Depuis que j'avais trouvé les billets.

Je m'étais levée en retard, comme trop souvent, et j'essayais de ne pas m'étouffer avec mon verre de lait et mon croissant quand j'ai aperçu un bout d'enveloppe qui dépassait d'une pile de journaux et de revues. J'ai tiré. Des billets d'avion pour New York, départ le 16 avril. La fin de semaine de Pâques. Autrement dit, la fin de semaine prochaine. À ce moment-là, maman est entrée dans la cuisine. En voyant ce que j'avais dans les mains, elle a eu un air un peu bizarre. Moi, j'étais folle de joie, vous pensez bien.

« On va aller à New York ? Voir Jean-Claude ? C'est génial, maman ! »

Là, j'ai vu que quelque chose clochait. Maman avait l'air de plus en plus bizarre, gênée avec quelque chose de triste dans les yeux.

« On va aller à New York ensemble, Cass, je te le promets. Mais pas tout de suite. L'été prochain, peut-être. Ou à l'automne.

— Ou à la Trinité, oui. Mais alors, ces billets-là, c'est quoi ? C'est toi qui vas à New York ? (Elle a fait oui de la tête.) Mais... avec qui ? »

C'est à ce moment-là qu'elle m'a sorti son histoire de l'ami pas plus, de la connaissance professionnelle et tout le tralala. Elle a dû me dire son nom, mais je ne l'écoutais plus tellement. Maman allait à New York sans moi. Pire : avec un homme. Il a bien fallu que je me rende à l'évidence : elle était en amour !

« De toute façon, Cassiopée, à Pâques tu t'en vas à Sutton avec Georges et Patricia. C'est prévu depuis longtemps, ça te tente, ça va te faire du bien d'aller à la campagne... »

Georges, c'est mon père. Patricia, c'est sa (nouvelle) femme. Et Cassiopée, vous vous en doutez, c'est moi. C'est aussi une constellation et une reine vaniteuse (j'ai cherché dans le dictionnaire). Quand j'ai le malheur de me plaindre de mon nom, maman me rappelle que j'ai quand même de la chance d'être une fille parce que, pour un garçon, elle et papa hésitaient entre Neptune et Triton. Bon, d'accord, j'ai échappé au pire. N'empêche que je suis affublée d'un nom que je traîne comme une malédiction. Cassiopée Bérubé-Allard. ABC à l'envers. J'en ai mal au ventre à chaque début d'année. Il faut voir la légère hésitation des profs avant de prononcer mon nom. Leur ton presque interrogateur. (Non, mais, c'est pas une blague ?) Et leurs yeux curieux qui fouillent la masse d'élèves effoirés devant eux. (À quoi peut bien ressembler une fille de douze, treize, maintenant quatorze ans qui porte un nom pareil ?) Dans ces moments-là, je regrette tellement de ne pas être grande, mince, avec des cheveux au moins bicolores, des vêtements aux couleurs électriques et des talons hauts comme ça. Pourquoi pas un fume-cigarette, tant qu'à y être ? Ou encore de longs cheveux vaporeux et un petit air romantique et mystérieux. Au lieu de ça, j'ai une tête (et tout le reste) à m'appeler Nathalie ou Isabelle. Grandeur moyenne, grosseur moyenne, cheveux bruns, yeux bruns, lunettes, ni très jolie ni particulièrement laide. Anonyme. Ajoutez à cela des résultats moyens à l'école (sauf en français, mais j'aime ça, je n'ai pas de mérite) et une timidité qui me fait dire des bêtises ou des banalités à peu près chaque fois que j'ouvre la bouche, et vous aurez une image assez nette de moi. Déprimant. Quand je veux me remonter le moral, je me dis qu'on m'a donné un corps qui ne me ressemble pas, un corps qui cache celle que je suis vraiment. Un jour, bien sûr, je vais révéler au monde qui je suis, découvrir des cités perdues, inventer une formule mathématique pour expliquer l'origine de l'univers, explorer les mers lointaines, soigner les malheureux du bout du monde. En attendant, je ferais mieux de revenir à mon histoire de mère amoureuse abandonnant sa fille unique et préférée.

Maman m'a donc dit : « Cassiopée (mauvais début : quand elle m'appelle Cassiopée, c'est que j'ai fait un mauvais coup ou qu'elle se sent coupable), Cassiopée, l'air de la campagne va te faire du bien, je te trouve un peu pâle. » Et quelques autres bêtises du genre. Moi, je me sentais toute drôle, le cœur à l'envers (pas étonnant qu'elle m'ait trouvée pâle). J'ai pris mon sac et mon chandail vert. Et je suis partie pour l'école sans même lui souhaiter une bonne journée.

***

Hier, donc, journée pourrie. Ça ne s'est pas tellement arrangé aujourd'hui. J'avais beau essayer de me concentrer sur des choses passionnantes comme l'imparfait du subjonctif et les choix de carrières en informatique, je revoyais toujours les billets pour New York et le soutien-gorge en dentelle (je sais, j'en parle beaucoup, mais on ne contrôle pas ses visions). Et je me suis disputée une autre fois avec Suzie.

Suzie, c'est ma meilleure amie. Elle veut être psychologue, plus tard, et elle a l'impression que ça lui donne le droit de poser des tas de questions intimes à tout le monde. En tout cas, elle doit avoir la vocation parce que, quand je me sens à l'envers, elle s'en rend toujours compte.

« C'est quoi, ton problème ? (Elle est fière d'aller droit au but.)

— Rien.

— C'est quand même pas parce que j'ai dit que j'aimais mieux Francis Cabrel que Renaud que tu vas me bouder pendant des semaines ?

— Ben non, c'est pas ça.

— C'est quoi, d'abord ? »

Je m'étais dit que je n'en parlerais pas, que c'était ma peine et ma colère à moi toute seule, que ça ne la regardait pas, mais, la première chose que j'ai sue, j'étais en train de lui raconter les billets, oui, pour Pâques, non, elle n'est jamais partie sans moi, oui, plein de vêtements neufs, oui, ça lui va bien, mais je m'en fous, je veux pas qu'elle y aille, pas avec ce bonhomme-là, oh Arthur ou Alphonse, quelque chose comme ça, mais oui bien sûr j'invente, je l'ai pas entendu son nom, oui, en dentelle, et la petite culotte qui va avec.

Eh bien, au lieu de compatir avec moi et de me remonter le moral, Suzie s'est mise à m'engueuler ! Selon elle, j'étais juste une égoïste macho (!) et réactionnaire (?). Alors, comme ça, je croyais que les femmes devaient rester à la maison pour torcher les petits et particulièrement les grands bébés dans mon genre ? Comme ça, je refusais à ma mère le droit de vivre sa vie de femme ? Que mon père ait eu des tas de blondes dans sa vie, moi je m'en foutais, qu'il ait fait un bébé à une autre femme, je trouvais ça correct, mais que ma mère se permette, une fois dans sa vie, de s'amuser un peu sans moi, et je la traitais de tous les noms. Allez donc répondre à ça. Suzie voulait que je me sente coupable (ça doit être la théorie à la mode en psychologie), mais je n'allais pas lui faire ce plaisir. J'ai répliqué que je n'avais pas besoin de ses discours et de sa morale, qu'elle n'avait rien compris et qu'elle pouvait bien aller… aller à Tombouctou voir si j'y étais ! Puis j'ai tourné les talons avec mon air le plus digne.

«Ce serait drôle si ta mère avait un bébé, elle aussi.»

La vache ! Ma mère ou Suzie ? Un peu les deux, je suppose. Et me voici donc, par un beau vendredi soir d'avril, tourmentée par l'image de ma mère, en dessous de dentelle, un bébé braillard dans les bras. Et je n'ai même jamais vu le père !

CHAPITRE

2

Finalement, il ne s'appelle ni Arthur ni Alphonse, mais Jacques, tout bêtement. Je rentrais de l'école quand il est venu chercher maman.

J'ai été déçue. Un petit gros à lunettes, chauve et poilu. Moi qui commençais à me faire à l'idée que maman avait un chum, je m'étais aussi un peu mise à l'imaginer: grand, blond, l'air à la fois poétique et athlétique, genre Robert Redford, si vous voyez ce que je veux dire (ce n'est pas que j'aime tellement R. R., mais maman le trouve beau). Enfin, je suppose que Jacques est plein de qualités cachées... Moi, en tout cas, je ne sortirais jamais avec un chauve.

Ce n'est pas seulement un chauve, c'est un chauve inquiet, qui imaginait les pires tragédies sur le chemin de l'aéroport (embouteillages monstres, panne d'essence, accident, effondrement de l'autoroute Métropolitaine...) et qui pressait maman de partir au plus vite. Leur avion n'était qu'à sept heures vingt, mais ils sont partis de la maison à cinq heures moins quart, de peur d'être en retard.

Avant de partir, maman m'a fait cent quatre-vingt-douze recommandations, elle m'a embrassée trois fois, et elle m'a remis un bout de papier sur lequel se trouvaient inscrits tous les renseignements possibles et imaginables concernant leur avion et l'hôtel où ils devaient descendre.

« On va souper avec Jean-Claude demain soir. Je lui fais un message de ta part?

— J'ai rien à lui dire.

— Souris un peu, Cass. Je te promets qu'on va y aller, voir Jean-Claude, ensemble, une bonne fois.

— Bye, maman. Jacques attend. Vas-y vite avant qu'il pique une crise. »

Elle m'a fait un sourire un peu mouillé, un signe de la main. Et je me suis retrouvée seule avec mes idées grises, en attendant que papa vienne me chercher pour aller à Sutton.

***

Changement de programme, c'est Patricia qui est venue me chercher. Papa avait une réunion (importante, comme *toutes* ses réunions), et il ne viendra nous rejoindre que demain. L'auto de Patricia était remplie à craquer de nourriture, de jouets, de couches et d'oursons en peluche. J'ai fait le trajet en arrière, recroquevillée à côté d'Amélie, ma presque sœur. Je l'aime bien, Amélie. Elle a seize mois, elle sourit tout le temps en chuintant des tas de choses auxquelles on ne comprend rien et elle transporte partout une espèce d'affreux éléphant orange et plein de bave. Quand j'ai su qu'elle s'appellerait Amélie, j'ai dit aux heureux parents : « Bravo. Maintenant, dépêchez-vous de lui faire deux sœurs que vous pourrez appeler Émilie et Mélanie, c'est joli joli, et tout le monde va s'arracher les cheveux en cherchant qui est qui. » Ils n'ont pas trouvé ça drôle.

C'était la première fois que je passais une soirée avec Patricia, sans papa je veux dire, et rapidement je me suis mise à chercher un prétexte pour monter me coucher. Parce qu'elle a à peine dix ans de plus que moi, elle voudrait que je la considère comme ma sœur aînée et que je lui confie tous mes secrets. D'abord, ce n'est pas ma sœur. Et ensuite, même si c'était le cas, jamais je ne lui parlerais de mes états d'âme et de mes rêves. En tout cas, ce soir, elle voulait surtout savoir ce que je pensais de l'escapade de maman (c'est le mot qu'elle a employé, « escapade »), si ça ne me faisait pas trop de peine, et de quoi avait l'air son « ami », et si elle semblait très amoureuse, et si ce n'était pas un peu bizarre de voir une femme de cet âge avoir des émois de collégienne, etc. Elle a vraiment dit ça : « une femme de cet âge » et « émois de collégienne ». On aurait dit qu'elle parlait de son arrière-grand-mère ! Maman a trente-huit ans, ce n'est quand même pas *si* vieux, et elle est très passable pour son âge. Même que, moi, je la trouve plus belle que Patricia, qui se maquille trop et qui sent tellement le parfum que ça en donne mal au cœur. Alors, un linge à vaisselle dans une main et un verre à vin dans l'autre, j'ai fait un grand discours sur la liberté des femmes, la beauté qui n'est pas seulement une question de jeunesse et de mode, et ce genre de choses. C'est Suzie qui aurait été fière de moi ! Quant à son amant (j'ai bien appuyé sur « amant » pour lui montrer que je n'avais pas peur des mots, moi)... eh bien, c'était un dieu, un Adonis ou un Apollon ou quelque chose comme ça. Grand, fort, musclé, des cheveux bouclés, une bouche sensuelle, des mains longues et fines... Patricia ouvrait de grands yeux, et un peu la bouche aussi, ce qui lui donnait l'air d'une carpe qui vient de rencontrer un ornithorynque (j'ai déjà gagné un concours d'orthographe avec ce mot-là, alors j'aime bien le placer de temps en temps). J'ai débité plein d'âneries, mais je crois que Patricia a compris et qu'elle va me laisser tranquille à l'avenir.

J'ai enfin pu m'enfermer dans ma chambre et je me suis payé un bon quinze minutes de braillage. J'ai toujours le goût de pleurer, ces temps-ci. Ça me fait des yeux rouges, un nez brillant, un air de barbet mouillé et ça ne règle rien, mais ça me fait du bien. Alors, pourquoi pas ? En me mouchant ensuite vigoureusement, je me suis demandé ce que je faisais là, à attendre que la fin de semaine finisse. J'aurais juste voulu m'écraser dans un coin et lire toute la journée. Mais j'entendais déjà mon père et Patricia : il fallait profiter de la nature et de l'air pur, faire de l'exercice, prendre des couleurs... Ils ne pourraient pas me laisser tranquille, un peu ?

J'ai pris mon beau cahier bleu à petits carreaux et je me suis mise à écrire tout ça. Je me demande ce que fait maman en ce moment.

***

Déjà mardi. Papa m'a déposée à la maison après le dîner. Maman doit rentrer dans la soirée (si j'en crois son petit papier, son avion se posera à Dorval à 20 h 35). Et, en attendant, petite récapitulation de la fin de semaine.

Je m'attendais à mourir d'ennui. Eh bien, j'ai survécu ! (Et même un peu plus, si vous voulez tout savoir.)

Vendredi, papa est arrivé juste avant le dîner. Il a fait un grand sourire en nous voyant toutes les trois assises sagement dans le salon, Patricia dans un fauteuil, Amélie et moi par terre, en train de jouer à construire/démolir des tours.

« Mes grandes filles ! Comme je suis content de vous voir ! »

Patricia a eu un sourire ravi. Elle aime qu'il l'appelle sa grande fille, et rien ne lui fait plus plaisir que d'être prise pour sa fille, quand ils sortent ensemble. Elle est folle. Moi, quand je vais sortir avec un homme, ça va être clair que je suis sa femme, sa blonde, sa maîtresse ou tout ce que vous voudrez, mais pas sa fille.

Après le dîner, je les ai laissés en famille et je suis allée me promener. Je n'avais pas fait trois pas que, malheur !, Valérie Brouillette me tombait dessus. Valérie Brouillette, c'est la plaie de Sutton, du moins pour moi. Elle a seize ans, de longs cheveux blonds, des seins qu'on remarque et un cul qui fait tout pour ne pas être en reste. Chaque fois qu'on se rencontre, elle me demande d'un ton railleur si je suis encore vierge (il faut comprendre pas intéressante, niaiseuse, bébé)... Je ne réponds jamais. En général, ça lui suffit et, en riant, elle va retrouver la horde de garçons qui lui tournent autour. Ils ont tous le teint bronzé, des ensembles de ski qui ont coûté une fortune et des sourires à annoncer des dentiers. Mais, ce jour-là, elle ne semblait pas pressée de retrouver ses soupirants. Elle m'a examinée avec attention.

« Si tu t'arrangeais un peu, sais-tu que tu serais pas si pire ? Enfin, dans ton genre.

— Je m'aime comme je suis. » (Ce n'est pas vrai, mais elle n'est pas obligée de le savoir.)

Elle a haussé les épaules. Puis, à ma grande surprise, elle m'a invitée à un party, chez elle, le lendemain soir.

« Mes parents seront pas là, et il va y avoir de la bière en masse.

— Je sais pas…

— Viens donc, ça va te déniaiser. »

Normalement, j'aurais dit non. Pourquoi je voudrais me retrouver avec un paquet de garçons et de filles que je ne connais pas, chez une fille qui se vante de coucher avec tout ce qui passe et qui m'invite juste pour que, par contraste, les gars la trouvent irrésistible ? Mais on n'était pas « normalement ». J'en voulais à ma mère, j'en voulais à Patricia, je m'en voulais à moi.

« O.K.

— J'habite le chalet aux volets rouges, celui qui…

— Je sais. C'est à quelle heure, le party ?

— Huit heures.

— Ça marche. À demain. »

À partir de ce moment, je n'ai plus pensé qu'au party. J'avais un peu peur, mais je me sentais étrangement excitée. On était loin des partys de fête de mes amies ou des partys de classe où tout le monde connaît tout le monde. Moi, Cassiopée Bérubé-Allard, j'irais dans un vrai party « où tout peut arriver ». De quoi j'allais bien pouvoir parler avec tout ce monde-là ? Pourvu qu'ils ne me trouvent pas trop jeune, trop niaiseuse, trop… Par chance, mon feu sauvage avait presque complètement disparu !

***

Le lendemain soir, à huit heures moins dix, j'étais en face de chez Valérie. Comme je ne voulais pas montrer à quel point j'avais hâte d'arriver, je me suis forcée à marcher encore vingt minutes avant d'entrer. Ça n'a pas donné grand-chose parce que je suis quand même arrivée une des premières (la deuxième, pour être précise). Quant aux sujets de conversation, je m'étais inquiétée pour rien : je suis restée seule dans mon coin, à ne parler à personne et à manger des chips, pendant la première heure et demie. Chaque fois que quelqu'un arrivait, il jetait un coup d'œil dans ma direction, le temps de voir que je ne présentais aucun intérêt, puis il allait retrouver des copains. Le plus dur, c'était de faire comme si je m'en fichais complètement.

Je mangeais mes chips. Les autres buvaient de la bière et fumaient des joints. Je n'ai jamais goûté à la bière, je trouve que ça pue. Par contre, j'ai déjà fumé (une fois) avec Suzie parce qu'elle dit qu'il faut tout expérimenter. Elle avait piqué deux joints à son frère (qui s'en est d'ailleurs rendu compte, et ça a fait tout un drame). On s'est étouffées, on a eu peur, on a ri comme des folles, sans savoir si c'était l'effet de la mari ou celui, psychologique, du fruit défendu. Je n'ai jamais eu le goût de recommencer, et ce n'était pas ce soir-là que j'allais m'y remettre. Je suis peut-être un peu arriérée, mais j'ai besoin d'être en confiance, moi, pour ce genre de choses.

Tout à coup, vers les neuf heures et demie, dix heures moins quart, Valérie a semblé s'apercevoir de ma présence. Elle a quitté le cercle de ses admirateurs, s'est approchée de moi en se déhanchant, m'a plaqué un énorme baiser sur une joue (beurk ! elle sentait la bière, je ne comprends pas ce que tous ces gars-là peuvent lui trouver) et m'a entraînée vers ses petits copains. Quelle image admirable ! La jolie jeune fille qui, n'écoutant que son grand cœur et sa bonté naturelle, va à la rescousse du laideron laissé pour compte et s'efforce de lui faire partager les joies de la soirée. Tout ça pour dire que la musique jouait de plus en plus fort, que tout le monde s'est mis à danser (moi aussi !) et que, pendant un moment, je me suis presque amusée. Un des garçons, il s'appelait Daniel, n'arrêtait pas de faire le clown, et je riais chaque fois que je le regardais.

Un peu plus tard, les lumières ont baissé. Comme elles n'étaient déjà pas bien fortes, on n'y voyait plus rien. La musique a changé, et tout le monde s'est mis à danser des slows. Ça dansait collé, ça se frottait, ça s'embrassait, ça se tripotait, et moi je commençais à penser à rentrer chez moi. C'est alors que Daniel-le-clown s'est approché de moi. Un genou par terre, il m'a soufflé: «Dites, la demoiselle aux lunettes, ça vous ennuierait beaucoup de danser avec moi? Aucune fille ne veut de moi, elles disent que je ne suis pas assez sérieux. Alors j'ai pensé que peut-être vous prendriez en pitié le pauvre garçon abandonné que je suis…» Il avait une main sur la poitrine et l'autre qui me tendait un bout de fougère en plastique arraché à l'une des nombreuses fausses plantes de Mme Brouillette. Je ne l'ai pas cru. Je veux dire: je n'ai pas cru qu'aucune fille ne voulait danser avec lui, il n'était pas laid et, de toute façon, elles n'avaient pas l'air particulièrement difficiles, mais je l'ai trouvé drôle et gentil de m'inviter comme ça, alors j'ai dit oui. C'était la première fois que j'étais aussi près d'un garçon, et je ne savais pas trop quoi faire de mes mains, de mes pieds. Quand Daniel m'a dit «Laisse-toi aller», je me suis rendu compte que j'étais toute crispée. Alors j'ai essayé de me détendre, comme au yoga. J'ai respiré profondément, j'ai appuyé ma tête sur son épaule, j'ai mis mes bras autour de son cou et je me suis laissée aller contre lui. On ne bougeait pas beaucoup, mais j'étais bien. À un moment donné, il m'a serrée plus fort. Je sentais son corps partout contre mon corps, son ventre contre le mien, sa jambe entre mes cuisses. Il faisait très chaud. Il s'est mis à me caresser le dos, tout doucement, il a passé un doigt sur ma nuque, sous mes cheveux, et je me suis sentie fondre. Je sais, j'avais déjà lu ça dans des livres, «fondre», et j'avais trouvé ça idiot. Mais c'est vraiment ce qui m'arrivait. Un long frisson m'était descendu le long du dos et était allé se perdre quelque part dans mon ventre. Je suis devenue toute mouillée entre les jambes, j'avais l'impression d'être gluante, un peu comme quand mes règles commencent. Et puis, je ne suis pas sûre, mais je pense que Daniel a eu une érection. Je n'allais quand même pas le lui demander ! Qu'est-ce qu'on est censée faire, dans ces cas-là ??? J'étais bien et mal à la fois. Est-ce que c'est comme ça qu'on se sent quand on est amoureuse ? Mais je n'étais pas amoureuse ! Je connaissais à peine Daniel…

Quand le disque s'est arrêté, j'ai bredouillé je ne sais quoi et je me suis sauvée aux toilettes. Je me suis bien regardée dans le miroir. J'avais la tête de quelqu'un à qui il vient d'arriver quelque chose. Les yeux brillants, les joues toutes rouges, les cheveux dans tous les sens. C'est drôle, je me suis presque trouvée belle. En sortant des toilettes, je me suis fait agripper par-derrière. Un grand roux, complètement soûl, m'a embrassée sur la bouche. Ça aussi, c'était la première fois, et je n'ai pas aimé ça du tout. Mouillé, puant, dégueulasse. J'ai repoussé le grand roux et je suis retournée aux toilettes pour me rincer la bouche. Ensuite, j'ai cherché Daniel des yeux. Je l'ai vite aperçu qui dansait avec une petite brune frisottée. Il lui caressait le dos tout doucement. C'est bête que ça m'ait fait aussi mal. Je me suis demandé si ça lui donnait des frissons, à elle aussi. J'ai récupéré mon manteau et je suis rentrée lentement au chalet.

En regardant les étoiles, je me suis dit que j'allais laver moi-même ma culotte. Je ne voulais pas que maman sache. Sache quoi, au juste ? Que mon corps s'était excité pour un autre corps ? Et après, qu'est-ce qu'il y avait de mal à ça ? Si elle, elle se le permettait, je pouvais bien me le permettre aussi, non ?

***

Dimanche, j'ai beaucoup marché. J'espérais rencontrer Daniel, au détour d'un sentier ou devant le dépanneur… J'aurais pris un air surpris. « Tiens, Daniel, qu'est-ce que tu fais là ? » On aurait parlé, marché un peu ensemble. Peut-être qu'il m'aurait demandé mon numéro de téléphone…

Évidemment, je ne l'ai pas rencontré, et, lundi, il a plu toute la journée. Aujourd'hui aussi, d'ailleurs, et il n'y a rien de plus déprimant que le trajet Sutton-Montréal sous la pluie.

Pourquoi est-ce que ce n'est pas Daniel qui m'a embrassée, au party?

***

Maman est revenue de New York avec les yeux brillants et un sourire pâmé. Je ne l'avais jamais vue comme ça. En la regardant dire au revoir et merci à Jacques, j'ai pensé qu'ils s'étaient embrassés, durant la fin de semaine, et caressés, et touchés partout. Ça m'a gênée. Je n'aime pas imaginer maman toute nue avec Jacques tout nu, tout chauve et tout plein de poils.

Quand elle a fini par lâcher Jacques, je lui ai lancé, sur un ton plus bête que j'aurais voulu:

« Alors, tu prétends toujours que t'es pas amoureuse?

— Je ne prétends rien du tout, ma belle. Peut-être bien que je suis amoureuse. Pour le moment, je croirais que oui.

— Pourquoi "pour le moment" ? Tu penses pas que ça va durer?

— Ça, je n'en sais rien et, à vrai dire, je m'en fous. Ça te va, comme réponse, Madame la Grande Inquisitrice? »

Et dire que j'ai toujours pris ma mère pour quelqu'un de sérieux!

CHAPITRE

3

Dans l'émotion du retour (ou plutôt dans celle de quitter son Jacques), maman avait oublié de me remettre une grosse enveloppe de la part de Jean-Claude. Elle me l'a donnée trois jours plus tard.

Jean-Claude, c'est mon oncle, le frère le plus jeune de maman. Elle a un autre frère et trois sœurs, mais je ne vais pas vous achaler avec ça. Donc, Jean-Claude a vingt-huit ans, et c'est le seul adulte qui semble me considérer comme une personne et non comme une petite fille. En ce moment, il étudie à New York. Il fait sa maîtrise en études cinématographiques. Ça m'impressionne beaucoup, alors j'en parle à tout bout de champ (et à tort et à travers, selon Suzie – en fait, elle est tellement tannée de m'entendre parler de lui qu'elle l'a pris en grippe sans même l'avoir rencontré). Tout le monde se demande ce que Jean-Claude va bien pouvoir faire comme travail après ça, d'autant plus qu'il n'est pas particulièrement intéressé à enseigner, mais lui, ça n'a pas l'air de l'inquiéter plus qu'il faut. Je trouve ça super. Suzie dit que ce n'est pas étonnant, je trouve super *tout* ce que fait Jean-Claude. Elle est d'ailleurs persuadée que je suis amoureuse de lui, et, le mois dernier, en pleine cafétéria, elle m'a fait un long discours sur « les dangers de l'inceste ». Ce n'est pas parce que ses oncles, à elle, ont la main baladeuse et le regard lubrique qu'il faut que tous les oncles soient des obsédés sexuels, quand même ! J'ai bien essayé de lui expliquer que je n'étais pas amoureuse de Jean-Claude, que j'aimerais seulement tomber amoureuse d'un garçon qui lui ressemblerait, mais elle n'a pas eu l'air convaincue. Tant pis. Si elle aime ça, se faire des peurs, je n'y peux rien.

***

Quand maman a fini par se souvenir de l'enveloppe qu'elle avait à me remettre, j'ai agrippé celle-ci et j'ai couru dans ma chambre. Là, la porte bien fermée, j'ai déchiré l'enveloppe avec précaution.

Comme toutes les lettres de Jean-Claude, elle contenait toutes sortes de choses que je me suis amusée à découvrir. Une carte postale. Un dessin. Un article de journal sur le *Titanic* (il sait que ça m'intéresse). Et puis ceci, que je ne sais pas nommer, que je ne suis même pas sûre de comprendre, mais qui m'a fait faire des tas de pirouettes dans ma tête :

Mi-avril
jour de grande bicyclette
(de grand soleil)

Pour Cassiopée

Souvenir-bicyclette
ou Icare et ses disciples

J'ai en tête l'image d'un jour où je fis à bicyclette le tour d'un parc. Je veux dire : me voilà sur ma bicyclette à rouler sur une rue qui longe le parc.

Deux souvenirs que je n'arrive pas à démêler forment l'image : le tour du Stephen Green à Dublin, et celui d'un parc sans nom (à ma mémoire) à Sorel.

Je sais que j'ai roulé dans ces deux parcs, mais l'image qui reste les confond en un seul moment — en un seul jour. Dublin et Sorel en même temps. Être aux deux endroits à la fois dans ma mémoire. Oui, c'est possible, c'est possible je crois bien.

Assis à remuer le soleil en surface c'est un peu comme
Avoir l'apprenti dans le soleil
(M. Duchamp)

(l'apprenti sur sa bicyclette, en route pour le soleil)

j'aime cette image

ICARE ET SES DISCIPLES

—avoir l'apprenti dans le soleil.—

« Assis à remuer le soleil en surface. » Vous ne trouvez pas ça beau, vous ? Ou : « Oui, c'est possible, c'est possible je crois bien. » Moi, je trouve ça grave, et en même temps tout léger. Comme si Jean-Claude partageait un secret avec moi.

Ses lettres sont comme ça. Elles nous apprennent rarement ce qu'il fait de ses journées, ce qu'il mange et qui il voit, mais elles sont pleines de surprises et d'images qui font rêver. Papa avait l'habitude de dire que c'était « très poétique », sur un ton qui laissait deviner que lui, personnellement, il trouvait que tout ça n'avait aucune espèce d'utilité. Un jour, je l'ai entendu demander à maman : « Mais enfin, quand ton frère va-t-il se décider à devenir adulte ? Les voyages, les envolées poétiques, les petits collages et les idées saugrenues, c'est bien beau à dix-huit ans, mais à vingt-cinq… » Vous auriez dû entendre maman ! Jamais je ne l'avais vue engueuler quelqu'un comme ça, même pas moi, la fois où j'avais décidé de teindre son chandail jaune en mauve pour l'Halloween. Il faut dire que si, moi, j'aime Jean-Claude, elle, elle l'adore. (Peut-être que je devrais la mettre en garde contre les dangers de l'inceste ?)

CHAPITRE

4

Au secours! Après les vacances de Pâques, on dirait que les profs se sont tous donné le mot pour nous assommer de travail. Je ne sais pas si c'est le retour du printemps qui leur fait craindre le pire pour nos pensées, nos corps et nos âmes… une chose est sûre, ils ont décidé de nous occuper l'esprit (et toutes nos soirées). Travail de recherche en géographie (sujet: Sur le plan du développement économique, comparez la position du Canada à celle de l'Argentine… Inspirant, non?), composition fleuve en français, exposé oral en anglais, sprint final en mathématiques (M. Boucher s'imagine encore qu'on est capables de voir le programme en entier: le pauvre, ça se voit que c'est sa première année d'enseignement). La composition, ça va. Mme Trudel-Delorme va encore trouver que je fais un « usage abusif et intempestif » des parenthèses, mais elle va quand même me donner une bonne note: elle trouve que j'ai du style quand je veux bien me donner la peine. Pour le travail en géographie, je ne m'inquiète pas trop non plus: on peut le faire en équipe, alors Suzie et moi on s'est mises ensemble, et, comme Suzie adore la géo (pas autant que la psychologie, mais presque), elle va faire le travail. Moi, je vais me contenter de corriger ses fautes et de reformuler ses phrases les plus boiteuses. Non, la vraie calamité, c'est l'exposé en anglais.

Je ne sais pas pourquoi, l'anglais et moi, on ne s'aime pas plus qu'il faut. Il suffit que quelqu'un s'adresse à moi dans cette langue pour que je devienne complètement idiote. Tout ce qui me vient à l'esprit, dans ces cas-là, c'est « Old Mother Hubbard/Went to the cupboard/To fetch her poor dog a bone ». Très utile pour indiquer une direction ou demander le prix d'un chandail. Quand je pense que ma mère est traductrice et que mon père fait un « usage abusif et intempestif » de l'anglais dans son travail (il est ingénieur pour une firme qui s'appelle Barnley, Davidson, McCord & Tremblay) ! Bon, d'accord, j'exagère. Je ne suis pas si cruche que ça. Le lire, à la rigueur, j'y arrive. En fait, depuis Noël, je me tape des Agatha Christie in English et je commence à distinguer les assassins des honnêtes gens. Mais le parler… Ce qui me ramène à mon exposé. Mme Crevier veut qu'on parle (pendant sept minutes ! Pourquoi pas cinq et demie ou huit et quart ?) de quelqu'un qu'on admire. C'est vague. La moitié des gars vont parler de Wayne Gretzky ou de Rambo, je parierais une pizza tomates-anchois là-dessus. Je ne peux pas dire que ça m'inspire.

Suzie est sortie du cours enthousiasmée. Évidemment, elle arrive à s'exprimer en anglais, elle. Et puis elle allait enfin pouvoir présenter à tous ces minables une des femmes qu'elle admire tant : Marie Curie, Simone de Beauvoir, Florence Nightingale, Amelia Earhart, Golda Meir, Jane Goodall, Margaret Mead, Kate Millett et j'en passe (inutile de dire que je n'en connaissais pas la moitié). Tout à coup, elle s'est tournée vers moi :

« Évidemment, toi aussi, tu vas choisir une femme !

— Euh… oui, bien sûr. »

En fait, jusque-là, j'avais plutôt l'idée de parler de Gāndhi (pas Indira, le Mahātma). Maman a un gros livre qui parle de lui, et elle n'arrête pas de dire que je devrais le lire. Ç'aurait été l'occasion ou jamais. Tant pis. Suzie avait raison : il fallait choisir une femme. Mais qui ? Je n'avais pas particulièrement envie de lui piquer une de ses héroïnes à elle (je suis sûre qu'elle ne m'aurait jamais pardonné de faire un exposé raté sur une de *ses* femmes). Pendant que je réfléchissais, Suzie avait eu une idée (géniale selon elle, pas très brillante à mon avis) : elle allait faire une espèce de pot-pourri de toutes ces femmes, une mosaïque de vies exemplaires… Je lui ai fait remarquer qu'on ne disposait que de sept minutes, et que, si elle récitait des noms de femmes pendant cinq minutes et quart, elle n'aurait pas le temps de dire grand-chose sur chacune. «D'ailleurs, ai-je glissé pour terminer, ça se dit comment "Simone de Beauvoir" en anglais ? » C'est bizarre comme mes plaisanteries n'ont pas de succès, ces temps-ci.

***

Chose étrange, c'est maman qui m'a trouvé ma femme. Si je dis « chose étrange », c'est que maman semble vivre tout à fait en dehors de la réalité en ce moment. Elle qui restait clouée à la maison, sauf pour un film de temps en temps, la voilà qui sort presque tous les soirs. Restaurant, théâtre, cinéma, expositions : rien de trop beau pour Madame (et pour Monsieur Jacques qui l'accompagne, bien sûr). Moi, pendant ce temps-là, je m'empiffre de pizzas et de lecture. Depuis quelque temps, en plus de mes Agatha Christie, je suis plongée dans Jules Verne. Ah ! vivre des aventures comme celles de Michel Strogoff (et de la belle et courageuse Nadia) ! Connaître la destinée des enfants du capitaine Grant ! Être sauvée du bûcher, à la dernière seconde, par Phileas Fogg ! Eux, au moins, ils voient du pays ! Eux, au moins, ils vivent !

Je vais peut-être finir par faire une indigestion de pizzas ou une indigestion de Jules Verne. Maman pourrait en profiter pour se rappeler que j'existe. Oh ! on se croise encore tous les jours, on échange quelques mots, on se sourit, mais je sens qu'elle n'écoute pas vraiment, qu'elle ne s'intéresse pas vraiment à ce que je fais. La semaine dernière, pour la première fois, Jacques est resté à coucher à la maison. J'espère que ça ne se répétera pas trop souvent. Je tiens à mon intimité, moi ! Quand j'ai pris mon bain, le lendemain, j'ai scruté la baignoire à la loupe avant de la remplir. Je ne voulais surtout pas me laver dans une eau pleine de gros poils noirs et virils (au moins, côté cheveux, je ne risque rien). J'ai eu la bêtise de parler de ça à Suzie. Elle m'a répondu que c'était très intéressant et que ça avait sûrement un sens très précis, en psychanalyse, cette phobie des poils. Elle commence à m'agacer, Suzie, avec sa manie de tout ramener à des psyquelquechose. Quand je suis revenue de ma fin de semaine à Sutton, j'ai essayé de lui parler de ce qui m'était arrivé au party. Tout ce qu'elle a trouvé à dire, c'est que c'était là une situation typique d'éveil de la sexualité à l'adolescence et que, bon, il n'y avait pas de quoi en faire un plat. Comment on fait pour changer de meilleure amie?

Pour en revenir à l'idée que maman m'a donnée pour mon exposé, voici comment ça s'est passé. On était en train de déjeuner, hier matin, et je lui parlais de mes problèmes pour trouver une femme dont j'aurais le goût de parler. Pour une fois, elle m'écoutait attentivement et elle m'a même fait quelques suggestions: Marie Curie, Golda Meir… Est-ce qu'il manque tant que ça de femmes remarquables pour qu'on revienne toujours aux mêmes? Mais je n'étais pas emballée. J'avais le goût de trouver quelqu'un qui avait fait quelque chose. « Parce que tu trouves qu'elles n'ont rien fait, ces femmes-là? » m'a rétorqué maman, plutôt railleuse. « Oui, bien sûr qu'elles ont fait des choses, mais je voudrais une femme qui a fait des choses plus exaltantes, qui a bougé plus que ça, une exploratrice, une alpiniste célèbre… je sais pas, moi. Ou plutôt oui, je sais: une femme qui aurait pu se retrouver dans un livre de Jules Verne. » Alors maman a eu un drôle de petit sourire. « Attends-moi ici, je reviens. » Bien sûr que je l'ai attendue, je n'avais même pas fini de déjeuner. Elle est revenue avec un grand livre: *Into the Unknown*, publié par le National Geographic. On a beaucoup de livres du National Geographic, à la maison. Je ne les lis pas, mais j'aime bien regarder les photos. Le sous-titre me plaisait beaucoup: « The Story of Exploration ». Maman a dit: « Les femmes ne pleuvent pas, dans ce livre, mais il y en a quand même quelques-unes. Attends… Une femme au Tibet, au début du siècle, ça te plairait? Une femme qui a bravé la nature, les lois, les conventions, les tabous… Voici! » Triomphante, elle m'a montré une photo de personnages portant des masques exotiques. Sur la page suivante, un nom: Alexandra David-Néel. J'ai tourné quelques pages. Par chance, l'article n'était pas trop long. En plus du texte, il y avait quelques photos (elle n'avait pas l'air particulièrement aimable, Mme David-Néel, et puis elle était vieille, mais je n'allais pas faire la difficile) et deux cartes: autrement dit, de quoi préparer un exposé. Le texte semblait plus compliqué que du Agatha Christie… J'ai dit à maman: « Tu pourrais peut-être le lire et m'en faire un petit résumé… » Vous auriez dû voir ses yeux! Bon, ça va, j'ai compris, je vais me débrouiller. Je ronchonnais un peu pour la forme, mais, dans le fond, j'étais ravie: j'avais trouvé une héroïne!

CHAPITRE

5

Qui a eu la bêtise de dire que le mois de mai est le mois le plus beau ? Moi, tout ce que j'en vois, c'est l'école et l'étude, l'étude et l'école. Et, pour changer un peu, de longues soirées solitaires. Encore heureux que j'ai des livres pour me tenir compagnie !

Maman est toujours en amour par-dessus la tête, et, finalement, j'aime mieux quand elle sort que quand elle reste à la maison avec Jacques et qu'on se fait tous les trois des sourires forcés. Jacques couche de plus en plus souvent à la maison, et je passe de plus en plus de temps enfermée dans ma chambre. Le matin, je prends ma douche la première. Comme ça, je n'ai pas à m'inquiéter des poils.

J'en ai assez de me lever tôt, d'étudier et de me forcer. Je rêve aux vacances (dans un mois !) et, en attendant, je me débarrasse du mieux que je peux (et le plus vite possible) de tous les fardeaux imposés par nos profs chéris.

Incroyable mais vrai, Suzie a réussi à noircir trente-deux pages sur le développement économique du Canada et de l'Argentine (et à commettre en moyenne trente-deux fautes par page – faites le total, c'est impressionnant : heureusement que je passais derrière elle !). Résultat : M. Samson nous a accordé 68 % (Suzie a failli en mourir de rage) et il a indiqué sur la première page que « la concision a aussi ses charmes ».

Les exposés d'anglais ont commencé la semaine dernière. Comme prévu, on entend beaucoup parler de Wayne Gretzky (mais pas de Rambo). Marie Vincent a fait un exposé passionnant sur Mère Teresa (tiens, une femme que Suzie avait oubliée !). Parlant de Suzie... Après avoir changé d'idée quinze fois, elle a fini par faire son exposé sur... Sigmund Freud, « qui sut si bien sonder l'âme humaine » (elle l'a dit en anglais, mais je n'ai rien compris, alors elle m'a traduit sa dernière phrase). Mme Crevier a eu l'air impressionnée, et moi j'avais bien hâte que le cours finisse pour savoir ce qui lui avait pris de choisir un homme, après tous les beaux discours féministes dont elle n'arrête pas de m'assommer. J'ai eu la satisfaction de la voir mal à l'aise. De ses longues explications embrouillées, il est ressorti que Freud, ce n'était pas un homme (ah non ?), c'était un neutre (ah oui ?) ou plutôt, si on voulait, que ce qu'il avait découvert était si important que ça transcendait son sexe, qu'en fin de compte, Freud, c'est la psychanalyse, et que la psychanalyse, c'est féminin, non ? Je ne sais pas si vous y comprenez quelque chose, moi j'ai renoncé. Et de toute façon, je m'en fous. Je vois de moins en moins Suzie, et je ne m'en porte pas plus mal.

Moi, mon exposé, c'est après-demain que je le fais, et j'ai des gargouillis dans le ventre rien qu'à y penser. J'en ai bavé pour le préparer. Par bouts, j'avais l'impression que je ne m'en sortirais jamais, perdue comme je l'étais au milieu des dictionnaires, des cartes géographiques et des petites fiches sur lesquelles je prenais des notes. J'ai fini par y comprendre quelque chose, et, en français, je pourrais en parler d'une façon à peu près intelligente. Mais en anglais... Une chose est sûre, je vais pouvoir remplir mes sept minutes avec les aventures d'Alexandra David-Néel au Tibet. Maman avait raison, son histoire est passionnante. Imaginez : atteindre Lhassa, au cœur du Tibet, après des semaines de marche en haute montagne, des rencontres avec des voleurs, des dangers de toute sorte... Tout ça déguisée, parce que les étrangers, surtout les femmes, n'étaient pas admis à Lhassa. Même que, si elle avait été découverte, elle risquait la mort, ou à tout le moins l'expulsion. Détail intéressant (enfin, moi, ça m'intéresse), Mme David-Néel était déjà vieille quand elle est arrivée en Asie (où, entre autres, elle a passé trois ans dans un monastère tibétain, entourée de trois mille huit cents moines !) et elle avait autour de cinquante-cinq ans quand elle s'est rendue à Lhassa. Moi qui pensais qu'à cinquante-cinq ans on était juste bon pour promener chien-chien dans des parcs bien entretenus ! Dans le fond, ça m'encourage, cette histoire. J'ai encore bien des années devant moi pour visiter les endroits dont je rêve : la Patagonie (à cause des *Enfants du capitaine Grant*), la Chine, le Sahara, les Andes, l'Islande, la Grande Barrière et tout le reste.

***

Ouf ! mon exposé est enfin terminé, et je ne m'en suis pas trop mal tirée. J'ai bien eu quelques trous de mémoire, comme quand je voulais dire que la crasse et la saleté faisaient partie du déguisement d'Alexandra David-Néel et qu'elle se noircissait le visage et les mains avec de la suie. J'avais beau me creuser la tête jusqu'au fond, je n'arrivais plus à me souvenir comment on dit « suie » en anglais (c'est *soot*), alors je me suis contentée de parler de *dirt*, ce qui n'est pas vraiment la même chose, mais tant pis. À la fin de mon exposé, Mme Crevier m'a posé quelques questions. Par chance, elle ne m'a pas demandé d'expliquer des détails de religion ou de philosophie orientales ou tibétaines ! J'avoue que c'est un aspect sur lequel je suis passée assez rapidement pendant mes lectures (je n'y comprenais pas grand-chose). J'ai répondu comme je pouvais, et Mme Crevier, avec un grand sourire, a fini par me dire : « Very good, Cassiopée. You have made great progress this year. » Je me suis sentie devenir toute rouge. Mais j'étais contente !

CHAPITRE

6

Que les oreilles sensibles se ferment les yeux, j'ai le goût de sacrer, et je sacre : merde, fuck, ostie et tout ce qui s'écrit avec des points de suspension dans les vieux livres français ou avec des têtes de mort dans les bandes dessinées. Je sacre et, pour une fois, je voudrais bien que ma mère m'entende. J'en ai assez d'être la bonne fille raisonnable. Assez d'être sage et plate. Assez d'accepter tout ce que mes parents essaient de me faire passer. Je suis tannée, tannée, tannée. C'est trop injuste. Ce qu'elle mériterait, ma mère, c'est que je disparaisse. Que j'aie un gros accident et que je meure, ou que je reste paralysée. Là, elle se rendrait peut-être compte que j'étais quelqu'un d'extraordinaire. Elle pleurerait, mais il serait trop tard.

Déjà que la période des examens n'est pas ce qui se fait de plus drôle, il a fallu que ma mère me déprime complètement en me parlant des vacances. Moi qui les attendais avec impatience, ces vacances, j'ai déchanté. Naïvement (niaiseusement, oui), je pensais qu'elles se dérouleraient comme les années passées : mois de juillet avec maman, et, en août, deux semaines avec papa et deux semaines dans un camp de vacances. Il ne fallait pas que j'aie réfléchi bien longtemps. Comment ai-je pu m'imaginer que maman lâcherait son Jacques pendant quatre longues semaines ? Je m'en veux tellement de ne pas y avoir pensé avant, je pourrais m'assommer.

En gros, la situation est la suivante. Maman veut bien passer deux semaines avec moi (quel sacrifice ! quelle abnégation !)

dans un chalet des Laurentides (moi qui rêvais des îles de la Madeleine ou peut-être même de la Californie). Ensuite, elle part avec Jacques le long de la côte est des États-Unis pendant que moi (ô joie !) je vais sécher dans un camp de vacances américain (pour perfectionner mon anglais, n'est-ce pas). D'ailleurs, tant qu'à faire, je vais y rester un mois (un mois !), dans ce camp, avant d'aller rejoindre papa à Sutton. Des vacances de rêve, quoi ! J'en braillerais. C'est d'ailleurs ce que j'ai fait, hier soir, après avoir appris ces merveilleuses nouvelles. Maman a beau me faire miroiter tous les attraits du camp, je ne veux pas y aller. Elle a pris son ton raisonnable et c'est-bon-pour-toi pour me dire : « Tu vas pouvoir faire de l'équitation, Cass, depuis le temps que tu en rêves, et puis tu pourras te faire des amis, ce n'est pas bon que tu passes ton temps toute seule à lire dans ton coin. » Je les imagine d'ici, les « amis » que je pourrais me faire : des Américaines blondes et sportives qui parlent de rien d'autre que de leur cheval pis de leur chum, et des Américains blonds et sportifs qui s'intéressent juste à la planche à voile et qui vont m'oublier avant même d'avoir fini de me regarder. Je ne veux pas y aller, je ne veux pas y aller, je ne veux pas y aller. Et je ne veux pas aller non plus dans les Laurentides, et je ne veux pas aller à Sutton. J'aurais juste le goût de me sauver, de partir loin, toute seule, et de leur montrer, à mes parents, qu'ils ne peuvent plus m'obliger à faire tout ce qu'ils veulent et que je peux très bien me débrouiller sans eux. Après tout, je vais avoir quinze ans dans un mois.

***

Suzie a vraiment le don de me remonter le moral !

Hier, tout excitée, elle m'a révélé, avec des tas de détails que j'aurais préféré continuer à ignorer, tout ce que son frère lui a appris sur les feux sauvages. Il est en première année de médecine, son frère, et j'espère juste qu'il ne va pas passer les cinq prochaines années à nous faire part de ce qu'il apprend de plus horrible.

***

L'école est finie, et je me sens tout aussi déprimée que pendant les examens (ce n'est pas peu dire). Le party de fin d'année n'a rien fait pour arranger les choses. J'ai bien failli ne pas y aller, mais, à la dernière minute, je me suis dit que ça serait peut-être amusant et que, de toute façon, ça me changerait les idées. J'aurais mieux fait de rester chez moi à lire *Vingt mille lieues sous les mers* et à manger des chips (j'ai fini par me tanner de la pizza).

Le party avait lieu dans le gymnase de l'école. À sept heures et demie, tout le monde était là. Les profs s'étaient mis chic, sauf ceux qui voulaient avoir l'air cool et qui s'étaient permis le luxe de venir en jeans. Les élèves, eux, se divisaient en trois catégories : les tout croches, les habillés pour sortir et les indécis. Inutile de préciser que je faisais partie de la troisième catégorie. Autrement dit, je m'étais habillée comme d'habitude, mais j'avais quand même pris la peine de me laver la tête et de me mettre trois gouttes du parfum de maman (je suis partie bien vite de la maison, je ne voulais pas qu'elle s'en rende compte). La musique ne jouait pas trop fort, il y avait du 7-Up et du jus de pomme à volonté, et c'était plate à mort. J'en suis même venue à regretter la fumée et la bière de chez Valérie. Au moins, chez elle, il y avait une atmosphère d'interdit à laquelle, rétrospectivement, je trouvais un certain charme. M. Boucher, héroïquement, s'est cru obligé d'inviter à danser, par ordre alphabétique, toutes les filles de la classe. Heureusement, j'étais dans les premières et j'ai donc été débarrassée assez vite. Quelle idée, nous inviter à danser ! Enfin… À un moment donné, comme dans tout party qui se respecte, les slows ont commencé. Là, M. Boucher a arrêté de danser et il est allé rejoindre le groupe des profs, qui nous regardaient avec des sourires bienveillants (rien de pire pour couper l'inspiration). J'étais sûre de rester toute seule dans mon coin. Je me trompais. Dès la première danse, il y a Denis Beaudry qui m'a invitée. Denis Beaudry mesure trois pouces de moins que moi, il doit peser dans les deux cents livres (pardon, dans les cent kilos), il a le teint blême, les boutons florissants et un vocabulaire d'à peu près deux cent trente-quatre mots. Suzie soupçonne qu'il trouve encore très drôle de crier des choses comme « pipi-caca ». Pendant qu'on dansait ensemble, j'ai aussi appris qu'il avait les mains moites (on s'en serait douté) et mauvaise haleine (ça non plus, ça ne m'a pas tellement étonnée). Je n'aurais jamais cru qu'une chanson pouvait durer aussi longtemps. Un peu plus tard, c'est Luc Saint-Jacques qui s'est approché de moi. Luc, il est plus grand, plus beau et moins stupide que les autres gars de secondaire III (c'est du moins ce que je croyais), et j'aurais été contente qu'il m'invite s'il ne l'avait pas fait parce que Julie Beauchamp venait de le planter là comme une vieille savate (je me demande bien pourquoi). J'ai dansé avec lui, et il m'a même serrée d'un peu près en lorgnant du côté de Julie pour voir si elle nous regardait. Je n'ai rien senti, même pas un début de frisson ou d'émotion. Peut-être que je suis frigide?

Je suis rentrée à la maison à minuit, je me suis couchée et j'ai pleuré un bon coup (rien de bien nouveau, quoi). Qu'est-ce qui ne va pas, avec moi? Mes parents font tout pour se débarrasser de ma présence, ma meilleure amie est en train de prendre le bord, et les garçons m'évitent comme la peste ou les MTS. Je voudrais être amoureuse. Je voudrais me faire dire que je suis belle, fine, intelligente, drôle. Je voudrais me serrer contre un garçon qui me dirait que mes cheveux sentent bon. Est-ce que c'est trop demander?

***

Hier, fête de la Saint-Jean, j'ai eu une idée. Une petite idée qui me trotte dans la tête et qui me donne le goût de rire à propos de tout et de rien. Une petite idée qui m'a rendu ma bonne humeur. Même que maman s'est aperçue du changement et qu'elle m'a dit que les vacances m'allaient bien. Je ne l'ai pas contredite. Si elle savait…

CHAPITRE

7

Mine de rien, j'ai demandé à maman ce que Jean-Claude faisait cet été. Elle m'a répondu qu'il passait sûrement la majeure partie de l'été à New York, mais qu'il viendrait faire un petit tour au mois d'août. Parfait, parfait. « Au fait, a-t-elle ajouté, j'ai pensé qu'on pourrait aller le voir à la fête du Travail. Ça te tenterait ? » J'ai dit oui, évidemment. La fête du Travail ! Pourquoi pas en l'an 2050 ? Si ça continue, Jean-Claude va revenir à Montréal pour de bon, et je ne serai toujours pas allée à New York. De toute façon, s'il vient en août, je ne vois pas pourquoi on irait le voir tout de suite après. Heureusement que j'ai ma petite idée…

Ça vous intrigue, hein ? Vous voulez savoir ce que c'est, cette fameuse idée. C'est très simple : j'ai décidé d'aller à New York voir Jean-Claude. Toute seule. Bientôt. Et sans en parler à personne. Ça lui apprendra, à maman, à tout décider pour moi sans me demander mon avis. Elle veut que j'aille aux États-Unis perfectionner mon anglais ? Je vais aller aux États-Unis. Quant à perfectionner mon anglais, c'est une autre paire de manches.

Ma petite idée bien en place, je me suis mise à préparer mon expédition, et, ô joie !, tout marche à merveille, même si j'ai le cœur qui bat à m'en faire éclater la cage thoracique chaque fois que je fais un pas dans la direction de l'Aventure. Au début, je me demandais si mon plan tenait debout. J'avais peur qu'on exige la permission de mes parents pour que je puisse retirer un gros montant de mon compte en banque ou acheter un billet de train. Personne ne m'a rien demandé. Pourtant, j'étais tellement énervée que je pensais bien que tout le monde se douterait de quelque chose. À la caisse populaire, j'ai senti que je rougissais en disant que je voulais retirer trois cents dollars (autrement dit toutes mes économies, ou presque). Finalement, j'ai eu mon argent en main, et ce n'est qu'à ce moment-là que j'ai pensé qu'il aurait fallu que j'en demande une partie en argent américain. Et il y avait une file d'à peu près cinquante personnes derrière moi ! « Qu'est-ce qui se passe ? » m'a demandé la caissière quand elle a vu que je ne bougeais pas de là. « Euh... en fait, là-dessus, j'aurais besoin d'argent américain. » J'ai essayé de sourire, mais j'ai l'impression que le résultat était plutôt minable. Ça n'a pas eu l'air de déranger la caissière, qui s'est contentée de me demander combien je voulais en dollars US et si je voulais payer le taux de change à même les sous que je venais de retirer ou avec l'argent qui restait dans mon compte. Comme elle savait aussi bien que moi qu'il ne restait à peu près rien dans mon compte, j'ai trouvé sa question plutôt stupide. Mais j'ai fait celle qui n'avait rien remarqué. J'ai seulement dit que je gardais soixante-quinze dollars canadiens, et que je voulais le reste en dollars américains. « Pas de problème », a répondu la caissière, qui m'a repris mes sous avant de se livrer à des tas de savants calculs. Quand j'ai vu ce qu'elle a fini par me remettre, j'ai eu un choc (désagréable). Ça coûte cher, de l'argent américain ! Enfin, tout a été réglé, et je suis sortie, inondée de sueur et les jambes en compote. Ce n'est pas demain que je vais avoir le sang-froid nécessaire pour dévaliser une banque ou m'adonner au trafic de la drogue.

Après la caisse, la gare Centrale. Auparavant, je m'étais renseignée par téléphone. J'avais commencé par m'adresser à Via Rail. Là, on m'a dit que c'était la compagnie Amtrak, à New York, qui s'occupait des trains entre Montréal et New York. En entendant ça, j'ai failli renoncer. Et si on me répondait en anglais, qu'est-ce que j'allais faire ? Puis je me suis ressaisie. Je n'étais pas très fière de moi. Je passe mon temps à m'imaginer en train d'affronter les pires dangers, et voilà que je tremblais à l'idée de faire un appel en anglais ! J'aurais l'air de quoi, au beau milieu de la jungle, parmi des indigènes qui ne parleraient que des dialectes plus incompréhensibles les uns que les autres ? Question plus immédiate (et plus angoissante) : j'aurais l'air de quoi en débarquant à New York si je m'évanouissais à l'idée de demander un renseignement en anglais ? Alors, n'écoutant que mon courage (peu bavard, je dois dire), j'ai téléphoné à Amtrak. Dix-huit fois. Les dix-sept premières, la ligne était occupée. Quand j'ai enfin eu la communication, j'avais des crampes dans la main gauche, les paumes moites, la gorge sèche et des trémolos dans la voix, ce qui fait que j'ai dû répéter deux ou trois fois mes questions. Pour tout compliquer, ils ont des horaires qui changent selon les jours de la semaine et des tarifs qui varient selon le moment de l'année et selon qu'on veut un aller-retour ou un aller seulement. « Aller-retour », ça se dit *round trip* en anglais, et, au début, je ne comprenais pas où la fille voulait en venir avec son «voyage rond». Quand j'ai fini par comprendre, je lui ai dit que je voulais « to go only ». Ça a été long, mais j'ai su tout ce que je voulais savoir. Et, surtout, j'étais fière de moi. J'avais peut-être de l'avenir comme exploratrice, finalement !

À la gare, j'ai acheté mon billet, le cœur dans la gorge. Dans le métro, en revenant, je passais mon temps à vérifier qu'il était encore au fond de mon sac. Mon billet pour New York ! Départ le mardi 30 juin à 9 h 25. Arrivée à New York à 18 h 38. Ouille ! j'ai oublié de demander s'il y a quelque chose à manger, dans ce train. Tant pis, j'emporterai un sandwich et du chocolat. Et quelques boîtes de jus de pomme. L'Aventure, ça s'arrose !

CHAPITRE

8

Décidément, je n'ai pas l'esprit à lire. J'ai beau essayer de m'intéresser aux aventures du brick-goélette *Pilgrim* qui, le 2 février 1873, à en croire Jules Verne, « se trouvait par 43° 57' de latitude sud, et par 165° 19' de longitude ouest du méridien de Greenwich », je ne fais que lire et relire les mêmes paragraphes (sans y comprendre grand-chose, d'ailleurs). Pour une fois, ma vie me semble plus passionnante que celles des héros de Jules Verne. Et pour une fois, aussi, je peux écrire mon journal pendant qu'il se passe quelque chose (dans le feu de l'action, si j'ose dire), et pas seulement après. Écrivons donc…

Où la jeune et intrépide Cassiopée,
portée par The Adirondacks,
vole vers l'Aventure
(avec un grand A)

Ce matin-là, après une nuit d'insomnie entrecoupée de rêves aussi bizarres qu'incongrus, notre héroïne sauta du lit aussitôt sa mère partie pour le bureau. Avec sa grâce et sa délicatesse habituelles, elle eut tôt fait de se vêtir d'habits discrets et de bon goût, destinés à n'éveiller aucun soupçon. Il ne fallait surtout pas qu'on la confondît (confondât ? confondisse ? confondasse ?) avec une vulgaire fugueuse. Puis, sa petite valise à la main et le sourire aux lèvres, elle s'élança d'un pas léger et féminin vers l'arrêt d'autobus le plus proche. En attendant l'autobus, elle eut tout le loisir de vérifier vingt-trois fois qu'elle n'avait oublié aucun de ces petits objets qui font le charme des voyages : billet de train, adresse de tonton Jean-Claude, dictionnaire anglais-français/français-anglais en deux (gros) volumes, papiers d'identité (extrait de naissance, certificat de baptême, cartes d'assurance-maladie, d'assurance sociale, d'autobus-métro, d'étudiante, etc.), mouchoirs en papier, serviettes hygiéniques, gomme à mâcher, sandwich au jambon, tablettes de chocolat, jus de pomme, lime à ongles, pince à épiler, Blistex (chacun sait que l'Aventure est féconde en émotions, et que les émotions, ça attire les feux sauvages), papier, crayons, livres, brosse à dents, pâte dentifrice, soie dentaire, plus tout un assortiment de vêtements divers (ou plutôt d'été, ah ah ah) destinés à parer à toute éventualité. Ce n'était pas elle qui allait se faire prendre au dépourvu par une tempête de neige en plein mois de juillet, ah non !

Après l'autobus, le métro. Après le métro, la gare Centrale. Voie 17, train 68, The Adirondacks. Section non-fumeurs. Une fois assise, notre héroïne chercha à retrouver, dans les recoins les plus obscurs de ce qui lui servait de mémoire, ce qu'étaient les Adirondacks. Une chaîne de montagnes, lui semblait-il (ou bien une nation amérindienne ?).

Enfin, le départ tant attendu arriva. Cassiopée ne s'en rendit même pas compte, occupée qu'elle était à essayer de comprendre les mesures à prendre en cas d'accident, de feu, de vol ou de détournement de train. Ce n'est qu'à une clarté soudaine et aveuglante qu'elle comprit que le train avait quitté la gare et que l'Aventure, la vraie, venait de commencer.

En réalité, et à sa grande déception, ce début d'aventure manquait un peu de panache : le train avançait à pas de tortue et poussait même l'audace jusqu'à s'arrêter tout à fait de l'autre côté du fleuve Saint-Laurent. Notre valeureuse Cassiopée sentit une ombre d'inquiétude lui chatouiller l'esprit. Et si sa grande expédition se terminait quelque part entre Saint-Lambert et Greenfield Park ? Elle ne recommença à respirer librement que lorsque le train se remit en marche, péniblement mais vers l'avant, ce qui était tout de même bon signe.

Incapable de se concentrer sur *Un capitaine de quinze ans*, notre exploratrice décida d'examiner ses compagnons et compagnes de voyage. Ces deux hommes, devant elle, qui se parlaient à voix basse et anglaise, ne pouvaient être que des espions. Elle décida de garder un œil sur eux. De l'autre, elle observa discrètement le garçon qui se trouvait de l'autre côté du couloir. Grand, cheveux longs, jeans et t-shirt. Les yeux fermés, les oreilles rivées aux écouteurs de son walkman, il fredonnait sans bruit une mélodie que Cassiopée ne parvint pas à reconnaître, ce qui ne l'étonna guère, étant donné ses piètres connaissances musicales. Derrière le garçon, une femme avec deux jeunes enfants. Ils parlaient anglais, mais de façon étrange, prononçant «daille» et «todaille» pour *day* et *today*. Un peu perdue, notre pauvre exploratrice québécoise et monoglotte espéra que ce n'était pas là l'accent de New York. (Elle l'espère toujours, d'ailleurs.) Plus loin, un groupe de garçons et de filles de son âge, aux allures décontractées et aux rires sonores, firent regretter à Cassiopée ses vêtements de jeune fille rangée et son air sage. Elle se consola en se disant qu'il s'agissait là d'un camouflage et qu'elle se mettrait plus à l'aise une fois sa mission accomplie, autrement dit une fois arrivée chez Jean-Claude.

Sur ce, fatiguée d'écrire à la troisième personne parmi les cahotements du train qui filait maintenant à une allure plus encourageante, elle entreprit de ranger crayon et cahier et de faire honneur à un jus de pomme bien mérité.

***

L'ennui, quand, comme moi, on n'arrive pas à se décider, c'est qu'on n'aboutit jamais à rien. Après mon jus de pomme, j'ai sorti mon sandwich, que j'ai eu le goût d'agrémenter d'un sac de chips (oui, il y a de quoi manger, dans ce train). Jusque-là, aucun problème. C'est pour y arriver que ça s'est gâté.

Comme j'allais me lever pour me rendre au wagon-restaurant, je me suis rendu compte que le grand gars d'à côté n'était pas à sa place. Où est le problème ? me direz-vous. Eh bien, voilà : s'il était au wagon-restaurant et que je m'y rendais en même temps, il pouvait croire que je lui courais après, ce qui était gênant pour nous deux ; s'il n'était pas au wagon-restaurant mais aux toilettes (tout était possible), il risquait d'en sortir au moment où je passais devant, et il n'y a rien de plus embarrassant que de croiser quelqu'un quand on sort des toilettes (j'en sais quelque chose, il y a plus d'une heure que je me retiens parce que je n'arrive pas à prendre un air *normal* pour y aller)…

Résultat, j'ai tellement hésité, et attendu, et hésité encore que le train a fini par atteindre la frontière, ce qui a réglé tous mes problèmes d'un coup : le wagon-restaurant était fermé, et, de toute façon, on n'avait pas le droit de quitter nos places pendant la visite des douaniers. Pendant une heure interminable, les jambes bien serrées et le souffle court, j'ai eu le temps de me traiter de tous les noms.

Quand le douanier s'est approché de moi, j'ai exhibé toutes mes cartes. Sans même leur jeter un coup d'œil, il m'a demandé où j'étais née (« Montréal »), où j'allais (« New York »), pour y faire quoi (« To visit my uncle » – « Does he live there ? » – « Yes. » – « Is he an American ? » – « No. » – « What is he doing in New York ? » – « He studies at New York University. »), et combien de temps j'allais y rester. Là, j'ai hésité (je ne m'étais jamais posé la question !). « Three weeks », ai-je fini par répondre, sur un ton légèrement interrogateur. Le douanier m'a regardée d'un air curieux, mais il n'a rien dit. Après un hochement de tête, il est passé à un autre voyageur. Jamais il ne s'est douté que j'étais une presque fugueuse !

***

Après le départ des douaniers et la remise en marche du train, je me suis précipitée vers les toilettes, sans me soucier le moindrement de l'air que j'avais ou de ce qu'allaient penser les gens (au pire, ils se diraient que j'allais me délester de tout ce que je passais en fraude ; au mieux, ils se réjouiraient de savoir que je n'allais ni exploser ni provoquer une inondation).

Je commence à trouver le temps long. C'est peut-être bien pratique, le train, mais on ne peut pas dire que ce soit palpitant. Je lorgne du côté de mon voisin. S'il m'offrait de me prêter son walkman, je ne dirais pas non. Je serais prête à écouter n'importe quoi pour faire passer le temps. Le seul problème, c'est que mon voisin n'a pas encore regardé une seule fois dans ma direction.

***

Mon voisin m'a enfin regardée. Ou plutôt, il n'a pas pu s'empêcher de jeter un coup d'œil (amusé ? ahuri ? moqueur ? inquiet ?) à cette fille qui s'est étouffée dans son troisième jus de pomme (on passe le temps comme on peut) avant de s'inonder de tout ce qui restait de jus dans la boîte. Je vous épargne les détails, mais pour un beau dégât, c'était un beau dégât. La mère des deux enfants m'a apporté une pile de serviettes de papier avec lesquelles, tout en toussant et en crachant comme une tuberculeuse à l'article de la mort, j'ai épongé tout ce que j'ai pu. Quant à la maman au drôle d'accent, elle m'assenait de vigoureuses claques dans le dos tout en murmurant des « dear » et des « honey » dans lesquels j'avais du mal à me reconnaître.

Tout a fini par rentrer dans l'ordre, à ceci près que je suis toute mouillée et collante et que j'ai plus que jamais hâte d'être enfin chez Jean-Claude (ah ! une bonne douche chaude...).

Mon voisin ne m'a toujours pas offert son walkman.

***

Un air me trotte dans la tête. « Celle qui va », de Marjo. Je regrette seulement de ne pas en connaître les paroles. Répéter

« La la la la la celle qui va » pendant une heure et demie, ça finit par être monotone.

***

Si j'avais dix ans de moins, ça ferait déjà trois heures que je demanderais à ma mère, aux dix minutes et sur un ton de plus en plus insistant et pleurnichard : « Quand est-ce qu'on arrive ? »

Comme j'ai oublié d'inclure une montre, une horloge, un réveil ou un sablier dans mes bagages, je n'ai pas la moindre idée de l'heure ni de la distance parcourue. Et ce ne sont pas les noms des gares où nous nous arrêtons qui me renseignent beaucoup : Schenectady, Albany, Poughkeepsie… Ça vous dit quelque chose, vous ?

Assez pleurniché sur mon sort. Je vais plutôt penser à des choses agréables.

Par exemple à la tête de Jean-Claude quand il va m'apercevoir à sa porte. « Surprise ! Dis, je peux passer quelques semaines ici ? Je ne te dérangerai pas beaucoup. J'avais besoin de changer d'air… »

Ou encore à la réaction de maman quand je vais lui téléphoner, ce soir. « Allô, c'est moi. Écoute, je suis chez Jean-Claude. Mais oui, bien sûr, à New York. Quoi ? Oh ! j'ai pris le train. Mais oui, tout s'est bien passé. Enfin, Josée – tu permets que je t'appelle Josée ? –, je ne suis plus un bébé. Je vais avoir quinze ans dans deux semaines. Quinze ans, pas quinze mois. De toute façon, je ne t'appelle pas pour te demander la permission mais pour que tu ne t'inquiètes pas. Le camp de vacances ? Il va falloir annuler mon inscription, c'est tout. Il faut que je raccroche, là, Josée. Bye, je te tiendrai au courant. »

Je rêve, je rêve… Ça m'étonnerait beaucoup d'être capable de prendre un ton aussi détaché et indépendant, mais une chose est sûre : je ne retournerai pas à Montréal avant d'avoir le goût d'y retourner !

***

Le contrôleur vient d'annoncer qu'on sera à Grand Central Station dans cinq minutes. Hourra ! À moi New York ! Un peu plus, et je me mettrais à danser et à chanter comme dans les comédies musicales…

CHAPITRE

9

Cassiopée, ma fille, tu n'as pas pensé plus loin que le bout de ton petit nez luisant de sueur. Tu arrives de Montréal, comme ça, sans crier gare (ni même Grand Central Station), et tu voudrais que Jean-Claude soit tranquillement assis dans son salon à t'attendre, un pichet de limonade dans une main et une douche tiède un peu plus loin. À sept heures du matin, je ne dis pas: Jean-Claude n'a jamais eu une réputation de lève-tôt. Mais à sept heures du soir!

C'est là, en gros, le petit discours raisonnable et moralisateur que je me suis tenu quand, après un trajet en taxi qui m'a appauvrie de cinq dollars (US) et une douzaine de coups de sonnette frénétiques à l'appartement 423 du 240, Sullivan Street, il a bien fallu que j'affronte la triste réalité: Jean-Claude n'était pas chez lui.

Mais, après tout, j'aurais dû m'en douter: Jean-Claude n'a jamais eu non plus une réputation de grand cuisinier, et il n'y avait donc rien d'étonnant à ce qu'il soit allé souper ailleurs. Revigorée par cette pensée, j'ai décidé d'en faire autant. Je reviendrais ensuite chez Jean-Claude, on rirait ensemble de mon manque de prévoyance, et j'aurais ma douche bien fraîche (il faisait horriblement chaud, à New York, et ma sueur avait commencé à se mêler au jus de pomme séché – beurk).

C'est beau, les illusions. Une pointe de pizza et un 7-Up plus tard (ça valait bien la peine de venir à New York pour ça!), je me suis recogné le nez sur la porte. Et là, à court de petits discours rassurants, j'ai senti la panique me gagner. Et si Jean-Claude ne rentrait qu'à minuit ? Ou même demain matin ? Après tout, il est majeur, libre de toutes attaches, et je suppose qu'il doit bien découcher de temps en temps…

Pendant ce temps, l'heure avançait à une vitesse que j'avais du mal à suivre (autre pays, autres heures, peut-être ?). À moins d'un miracle (je n'y comptais pas trop), il ferait bientôt noir, et je n'avais pas du tout envie de découvrir d'un seul coup tous les plaisirs de New York by night.

J'ai donc laissé un petit message à Jean-Claude dans sa boîte aux lettres (« Coucou, c'est moi. Ne bouge pas d'ici avant d'avoir eu de mes nouvelles. Cassiopée XXX. ») et je me suis dirigée vers le parc que j'apercevais un peu plus loin. Renseignements pris, ça s'appelle Washington Square. C'est un grand parc avec un bassin au milieu, une espèce d'arc de triomphe d'un côté, des petits coins aménagés pour les enfants, des tables spéciales pour jouer aux échecs ou aux dames, de beaux arbres. Et du monde. Des centaines et des centaines de personnes éparpillées un peu partout, surtout des jeunes. Des joueurs de guitare, d'harmonica, de trombone et de ballon ; des gars qui reluquent les filles et des filles qui reluquent les gars (et toutes les variations possibles sur ce thème) ; des virtuoses du rouli-roulant et des adeptes des petites balles (je n'ai jamais su comment ça s'appelait) ; des mordus du jogging et des passionnés de la contemplation ; des punks, des new wave, des chromés, des Noirs, des Jaunes, des Bleus… De temps en temps, des individus (louches, comme il se doit) me chuchotaient des choses auxquelles je ne comprenais rien mais auxquelles, invariablement, je répondais « No, thank you ». Il y en a peut-être, dans le lot, qui voulaient juste savoir l'heure, mais, comme ils disent ici, « better safe than sorry » (je sens que je vais faire des progrès prodigieux en anglais si ça continue – et si je survis).

De plus en plus collante et poussiéreuse, et n'osant m'asseoir nulle part, j'ai arpenté le parc un certain nombre de fois, ma ridicule petite valise à la main. Soudain, au milieu des bruits et des musiques qui commençaient à me donner le vertige, j'ai entendu des voix (Jeanne d'Arc, vous connaissez ?). Des voix indubitablement féminines et indubitablement françaises.

***

C'est ainsi que, ce soir, la Providence a pris les traits et l'accent de trois Françaises complètement folles. Imaginez trois filles de dix-huit ans, étudiantes en art, et qui ont décidé de partir à la conquête de l'Amérique (non, l'Amérique, ce n'est ni Montréal ni Chibougamau, c'est les USA, et d'abord et avant tout New York). Elles ont un budget limité, des fous rires incontrôlables et cinq semaines pour tout connaître de l'Amérique. Aux dernières nouvelles, elles veulent voir : la Californie, le Grand Canyon, La Nouvelle-Orléans, les Keys en Floride et, à cause d'un film qu'elles ont vu, un endroit au Texas qui s'appelle Paris et qui a l'air du trou le plus creux qu'on puisse imaginer. Ou peut-être aussi qu'elles ne bougeront pas de New York.

Mais revenons à mon premier contact avec elles. Je me suis approchée et j'ai dit, après m'être raclé la gorge :

« Euh… bonjour. »

Comme entrée en matière, c'était original. Elles ont tout de suite vu que j'étais une fille vachement intéressante et particulièrement branchée (tiens, après New York, je pourrais peut-être partir à l'assaut de Paris, je commence à maîtriser les expressions à la mode).

« Bonjour. Dis, pour le 4, tu serais pour qu'on aille à l'East River ou qu'on essaie de voir ça de loin ?

— Euh… voir quoi ? »

Là, elles se sont mises à parler toutes les trois en même temps. Le 4, c'était le 4 juillet, autrement dit le 14 juillet des Américains (traduction en québécois : le 24 juin), la fête de l'Indépendance (l'indépendance de quoi, elles n'ont jamais pu me le dire). Ce qu'elles savaient, par contre, c'était que c'est le pied (?) : des feux d'artifice, des pétards, Bruce Springsteen, des blessés et des morts chaque année, de l'action, quoi ! Elles ne voulaient surtout pas rater ça. Moi, plus elles s'excitaient, plus je me disais que je passerais le 4 juillet bien cachée dans un coin. Ou, plutôt, bien en sécurité auprès de Jean-Claude. À condition de le trouver, bien sûr.

J'ai exposé ma situation aux Trois Grâces.

« Il est beau, ton oncle ? m'a demandé Corinne, la plus folle des trois, une petite boulotte au visage plein de taches de rousseur.

— Euh… oui, je pense. Enfin, moi, je trouve que oui.

— Et il fait du cinéma ? (Ça, c'était Laure, qui commençait à se voir en Technicolor ou en Prismacolor sur écran géant.)

— Oui. Ou plutôt, non. Il étudie le cinéma. L'histoire, les techniques, la critique… des choses comme ça.

— Ah bon… (Laure était déçue.)

— Mais, tu sais, il y a des tas de gens très bien qui ont commencé comme critiques de cinéma : Truffaut… Truffaut et d'autres. (Touche finale et érudite, bien qu'un peu courte, fournie par la plus posée des trois, Bérengère – une autre qui a un nom pas possible.) En attendant, Cassiopée ne sait toujours pas où elle va passer la nuit.

— Mais avec nous, voyons ! » ont répondu les deux autres en chœur.

Avec elles, ça voulait dire au « Y » (prononcé en anglais, et dont j'ai d'abord cru que ça s'écrivait « Why », ou « Waï » – un hôtel chinois, qui sait – ou même « Ouaille »), autrement dit au YMCA, abréviation de Young Men's Christian Association.

« Mais… on n'est pas des garçons ! »

Croyez-le ou non, le « Y » accueille des gens de tous les âges, de toutes les religions et de tous les sexes. À quoi ça sert, un nom, alors ?

« Et il y a de la place pour moi ?

— Mais oui. On devait venir avec Charlotte, mais elle a attrapé la mononucléose à la dernière minute. Enfin, à l'avant-dernière. On a donc une chambre pour quatre. Et on n'est que trois, même si Corinne prend de la place comme deux. (Protestations indignées de celle-ci.) Ça t'intéresse ? »

Et comment que ça m'intéressait ! Finalement, je ne serais pas réduite à errer dans la ville toute la nuit, ou à me réfugier sur un banc de parc ou dans une entrée de métro, à la merci de tous les voleurs, violeurs et tueurs de New York (j'ai l'imagination qui s'emballe facilement). Et tout ça pour moins de vingt dollars par nuit, ce qui, semble-t-il, est un miracle à New York.

Avant de nous rendre au « Y », nous sommes toutes les quatre retournées sur Sullivan Street, où Jean-Claude continuait à briller par son absence. Un deuxième petit message est allé rejoindre le premier dans la boîte aux lettres : « Je vais être au YMCA Vanderbilt. Appelle-moi le plus tôt possible. Les Trois Grâces ont bien hâte de te connaître. Kisses. Cassiopée. »

***

Vous connaissez le métro new-yorkais ? Non ? Vous avez bien de la chance. Moi, je m'étonne encore d'en être sortie vivante et à peu près intacte.

« Vous êtes sûres que c'est le métro, et pas des égouts ou un dépotoir ? » ai-je demandé à mes Françaises.

Les stations sont petites, sombres, sales et ornées de milliers de graffiti. Les wagons grincent, craquent et cahotent. Et il n'y a rien à comprendre aux trajets, à ces lignes multicolores et bordées de numéros qui, sur les plans, s'enchevêtrent, disparaissent, s'entrecoupent, se dépassent et semblent prendre un malin plaisir à nous perdre.

Si l'enfer ressemble à ça, je jure de mener une vie saine et exemplaire jusqu'à la fin de mes jours.

***

On ne vantera jamais assez les effets bénéfiques qu'une douche peut avoir sur une fille couverte de crasse, de sueur et de jus de pomme.

***

Trop énervée pour dormir, j'ai sorti mon cahier bleu pendant que mes nouvelles amies ronflaient et soupiraient à qui mieux mieux. J'en étais à me dire que j'avais bien de la chance et que la vie était belle lorsque, badaboum !, une pensée m'a frappée en plein cœur : maman ! Je l'avais complètement oubliée, avec toutes ces aventures. À l'heure qu'il est, elle doit être complètement affolée, la pauvre. J'avais prévu que je lui téléphonerais de chez Jean-Claude, la plaçant devant le fait accompli avant même qu'elle se soit aperçue de ma disparition. Mais là... Qu'est-ce que je fais ? Je lui téléphone ? Non, pas à une heure pareille, et surtout pas avant d'avoir rejoint Jean-Claude. Je lui dirais quoi, si je l'appelais maintenant ? « Maman, je sais pas quoi faire », « Maman, je suis perdue », « Maman, viens chercher ta petite fille »... Pas question ! J'ai ma fierté, moi (et je n'irai jamais dans ce camp de vacances pourri, bon !). Alors... alors... alors... J'attends.

Me voici donc fugueuse malgré moi. Une vraie de vraie fugueuse servant à alimenter les statistiques. Est-ce que ma photo va paraître dans le *Journal de Montréal* ? Est-ce que la police va se mettre à ma recherche ? Est-ce que...

Jean-Claude, appelle-moi ! Vite !

CHAPITRE

10

Le lendemain, je suis restée collée jusqu'à une heure à un téléphone désespérément muet. Les Trois Grâces m'avaient bien invitée à faire le tour de New York en bateau, mais il n'était pas question que je rate l'appel de Jean-Claude. J'ai quand même fini par me résoudre à quitter mon téléphone pour descendre à la cafétéria avant de mourir d'inanition. En passant devant la téléphoniste, j'ai bien pris la peine de lui demander de m'avertir si j'avais un appel… Rien de rien de rien.

Dans l'après-midi, mes folles Françaises, emballées par leur tour de bateau, ont réussi à m'entraîner aux Nations Unies.

« Mais enfin, Cassiopée, tu n'es pas à New York pour rester enfermée dans une chambre ! S'il appelle, ton fameux Jean-Claude, eh bien ! il laissera un message et ce sera à lui d'attendre que tu le rappelles. Ça lui fera les pieds, tiens. »

Je n'ai pas osé refuser.

Du siège des Nations Unies, je retiens une statue rescapée d'Hiroshima ; une sculpture de petite fille, les bras ouverts en signe de libération ou d'espoir ; et des photos, un peu partout, des photos d'hommes, de femmes, d'enfants. Les yeux fixés sur des images tour à tour apaisantes et terribles, le cœur cognant à grands coups désordonnés, je me suis rendu compte comme jamais que je faisais partie de ce monde. Que le monde, c'était moi et tous les autres, que je le veuille ou non. Que j'étais responsable de sa beauté. Responsable de sa misère. Je ne savais pas qu'il était possible de ressentir autant de fierté et de honte en même temps.

***

À cinq heures, toujours pas de nouvelles de qui vous savez. Je commençais à m'inquiéter sérieusement, d'autant plus que mes finances fondaient à vue d'œil sous le soleil écrasant de New York. À ce rythme-là, je ne pourrais pas rester plus de deux ou trois jours encore.

Mes nouvelles amies, elles, essayaient de me convaincre de laisser tomber Jean-Claude et d'aller avec elles.

« Et qui va payer mes dépenses ? Vous, peut-être ? »

Et puis, je n'étais pas sûre d'avoir vraiment le goût de rester avec elles longtemps. La vie de groupe, ce n'est pas pour moi. Mon indécision s'est changée en décision (je ne vais *pas* avec elles) quand, tout de suite après, à la cafétéria du « Y », nous avons rencontré trois Allemands blonds et barbus avec lesquels mes Françaises, particulièrement excitées, ont entrepris de planifier les prochaines semaines.

« Ça ne change rien, m'a dit Laure. Tu peux quand même venir avec nous. » Pour faire quoi ? La troisième roue de la bicyclette ou, dans ce cas précis, la quatrième patte du trépied ? Non merci. Je les ai laissés à leurs projets et à leur idée de passer la soirée dans les bars de Greenwich Village (de toute façon, je n'ai pas l'âge requis pour y aller, et je suis bien trop peureuse pour m'y risquer quand même – surtout avec mon statut de hors-la-loi) et je suis montée reprendre ma garde inutile devant le téléphone.

Ai-je besoin de préciser qu'il n'a pas sonné, mais que moi, par contre, je me suis retrouvée en train de brailler et de renifler plus désespérément que jamais ?

Il est minuit et demi, et mes trois fofolles ne sont pas encore rentrées. Quant à moi, le cœur et l'esprit remplis de pensées coupables (comprenez par là que je me torture l'esprit à l'idée que ma mère se torture l'esprit à mon sujet), je me mets au lit. Bonne nuit (si ça veut encore dire quelque chose).

CHAPITRE

11

La chance existe, je l'ai rencontrée (et elle n'a pas du tout la tête que j'aurais imaginée).

Mais permettez que je commence par le commencement.

Corinne, Laure et Bérengère sont rentrées à trois heures et demie du matin, parfaitement soûles et plus bruyantes que jamais. Mais seules (un moment, j'avais craint de me retrouver voyeuse malgré moi). Elles dormaient encore profondément, et semblaient parties pour dormir longtemps, quand, à huit heures du matin, j'ai commencé à me demander ce que j'allais bien pouvoir faire de ma journée.

J'ai fait ce que font des milliers (des millions ?) de touristes chaque année : je suis allée à la statue de la Liberté. Ce n'est peut-être pas débordant d'originalité, mais c'est quand même plus excitant que de rester assise à regarder un téléphone. Aussi, comme des millions (des milliards ?) de touristes chaque année, j'ai pris le traversier à Battery Park, je me suis fait écraser les pieds par la foule qui se pressait sur le pont pour voir New York s'éloigner et la statue s'approcher, j'ai sué pendant deux heures et demie en attendant de grimper jusque dans la couronne de la statue, j'ai admiré une copie bien brillante et grandeur nature de son pied, puis, ma visite terminée, j'ai fait une provision de cartes postales avant de retourner au traversier. La seule chose que je n'ai pas faite comme tout le monde, c'est de mitrailler la pauvre statue à coup de déclics d'appareil-photo. Pas par désir de me singulariser, mais tout simplement parce que je n'en avais pas, d'appareil-photo.

En début d'après-midi, je suis retournée au « Y » (devinez ce que j'espérais y trouver).

À peine avais-je mis les pieds dans le hall d'entrée que la dame du Hospitality Desk m'annonçait, radieuse et l'index pointé vers ma gauche : « Miss, there's a gentleman waiting for you over there. »

Je me suis retournée avec un grand sourire – et un grand cri : « Jean-Claude ! »

Puis mon sourire s'est figé sur mes lèvres et dans mes yeux. Le gentleman en question n'était pas Jean-Claude. Il n'avait même rien de commun avec Jean-Claude.

La police ! ai-je pensé, complètement paniquée. Maman a mis la police à mes trousses, et celle-ci m'a retracée jusqu'ici. En un éclair, j'ai vu défiler non pas toute ma vie (ça, c'est quand on meurt, tout le monde sait ça) mais les affres et les misères des prisons, des maisons de correction, des établissements de détention pour jeunes... Ou, de façon plus réaliste peut-être, le retour piteux, à la maison maternelle, d'une fugueuse miteuse et malheureuse.

J'ai fait un pas en arrière et, pendant une fraction de seconde, j'ai bien pensé m'enfuir. Un coup d'œil à l'affreux policier m'en a dissuadée. Il était immense, avec des épaules larges comme ça, et il semblait dangereusement en forme. Alors, changeant de tactique, je me suis approchée en essayant de réchauffer mon sourire (en étant gentille, j'allais peut-être éviter les galères...).

Lui aussi souriait, et il s'est mis à me parler. Au début, non seulement je n'ai rien compris, je ne savais même pas dans quelle langue il parlait ! Ça y est, me suis-je dit, j'ai viré folle (l'émotion, peut-être ?).

Mais, finalement, je n'étais pas plus folle qu'il n'était policier (OUF !!!). Et ce qu'il baragouinait, c'était du français, et même un français impeccable, mais enrobé d'un accent polonais mêlé d'anglais qui rendait le tout à peu près incompréhensible. Après les Françaises et les Allemands, un Polonais. Est-ce que c'est ça que ça veut dire, le fameux melting-pot américain?

« Mais comment ça se fait que vous parlez français?

— Ma femme était Française. »

Une autre Française? J'étais presque déçue. Pourquoi pas une Belge ou une Chinoise, tant qu'à y être?

« Cassiopée, a-t-il repris (dans sa bouche, mon nom prenait un petit air exotique qui me plaisait assez), Cassiopée, vous ne pouvez pas savoir combien je me suis inquiété à votre sujet quand j'ai trouvé votre petit billet chez Jean-Claude. »

C'était bien la première fois qu'un adulte me vouvoyait, et j'avais un peu l'impression qu'il y avait erreur sur la personne. Ça m'a mise mal à l'aise. Surtout qu'il était vieux, plus vieux même que papa et maman, ce qui ne l'empêchait pas d'être un ami de Jean-Claude. Et c'est d'ailleurs parce qu'il était un ami de Jean-Claude, m'a-t-il expliqué, qu'il s'occupait d'arroser ses plantes et de ramasser son courrier pendant que celui-ci était parti en Iowa.

« En Iowa?

— Oui, il est là-bas pour trois semaines. Il a découvert un manuscrit d'Orson Welles et il l'étudie en détail. »

Bon, je ne sais pas où c'est, l'Iowa, mais, à son ton, j'ai compris que ce n'était pas à la porte. Inutile de penser à aller là-bas.

« Il est parsemé de petits dessins, le manuscrit, et comme Jean-Claude fait sa thèse sur les petits dessins d'Orson Welles…

— Ah bon! je vois. »

Ce que je voyais, surtout, c'était que J.-C. n'allait pas quitter l'Iowa pour venir à la rescousse d'une Cassiopée qui n'avait pas le moindre petit dessin à lui fournir. C'est fou ce que ça peut être déprimant de savoir qu'on est délaissée au profit d'un vieux paquet de feuilles barbouillées.

J'ai tendu la main à Andrzej (il a dû m'épeler son nom deux fois parce que j'étais un peu perdue dans les *z* et les *j*). J'ai pris mon air le plus serein pour lui dire que je le remerciais beaucoup de s'être déplacé pour me faire part de la situation et que… bon, au revoir. Puis j'ai tourné les talons. Trois étages à gravir, et j'allais pouvoir pleurer en paix.

Mais Andrzej n'avait pas fini.

« Wait ! Attendez, Cassiopée. Écoutez. J'ai des enfants de votre âge. Trois. Vous avez quel âge, au juste ? Seize ans ? »

J'étais flattée.

« Quinze. Enfin, presque.

— Voilà. Karol a dix-huit ans. Marek, presque dix-sept. Et Sophie, treize. C'est plein de dangers, New York, pour une jeune fille comme vous. Pourquoi ne viendriez-vous pas à la maison, en attendant de voir ce que vous ferez ? »

J'hésitais. J'étais portée à lui faire confiance, mais… sait-on jamais ? Ses enfants, il pouvait bien les avoir inventés. Et si je me retrouvais seule chez lui, avec lui… Et si… Wow, Cassiopée ! Ne t'emballe pas. Il n'a pas inventé Jean-Claude, quand même, ni ton petit billet glissé dans la boîte aux lettres.

J'ai été récupérer mes affaires, j'ai laissé un mot à mes Françaises toujours endormies, et j'ai suivi Andrzej.

***

C'est ainsi que je me suis retrouvée chez les Kupczynski, au 437, Ovington Street, à Brooklyn. Et les enfants d'Andrzej existaient, j'en ai eu la preuve sur-le-champ, du moins pour les deux qui étaient à la maison à ce moment-là, c'est-à-dire Karol et Sophie. Karol, c'était un garçon ! Et quel garçon ! Occupée que j'étais à le dévorer des yeux, je n'ai d'abord accordé qu'un regard distrait à sa sœur (oui, Sophie, elle, était bien une fille).

Karol ! Beau, grand, mince. Les cheveux blond-roux. Un beau sourire. Une belle voix. Et les yeux verts (mon rêve !). Karol ! Je le regarde et j'ai les genoux qui fléchissent, les joues qui rougissent et les mains qui moitissent (?). Karol ! Je pense à lui et je deviens gaga (ça se devine, au nombre de points d'exclamation que j'utilise pour en parler).

Malheureusement, Karol n'a pas eu l'air aussi troublé par moi que moi par lui, ou alors il mériterait l'Oscar du meilleur acteur pour avoir su cacher ainsi ses sentiments.

Il m'a serré la main (horreur ! la mienne était moite, et poisseuse, et tout à fait dégueulasse), m'a souhaité la bienvenue et a disparu jusqu'au souper.

***

Perdue dans mon admiration béate, je l'ai regardé s'éloigner (ah ! quelle démarche ! quelle aisance !), et je ne suis revenue sur Ovington Street qu'en entendant Sophie éclater de rire.

« Oui, il a souvent cet effet-là sur les filles. »

Ah bon.

« Tu viens ? Je vais te montrer ta chambre. »

Un coup partie, elle m'a aussi montré toute la maison. Tout de suite, je m'y suis sentie à l'aise. C'est une belle maison au toit en pente, dans une petite rue tranquille et bordée d'arbres. Une maison pleine de recoins et où règne un joyeux fouillis. Ici, les microscopes côtoient les livres et les raquettes de tennis, et une pile de cailloux trône au milieu du salon sans raison apparente. Jamais je n'avais vu, dans une maison privée, autant de livres, de disques et de choses dont j'ignorais les noms. J'ai aperçu un gros étui, dans un coin.

« Qu'est-ce que c'est ? ai-je demandé à Sophie.

— Un violoncelle. (J'ai imaginé Karol en train d'en jouer, grave et romantique.) En octobre, je vais donner un récital au Alice Tully Hall. »

Je me suis arrêtée et je l'ai dévisagée (d'un air incrédule, j'en ai bien peur). Pas parce que je connaissais la bonne réputation du Alice Tully Hall, dont j'entendais parler pour la première fois, mais parce que j'avais du mal à imaginer Sophie en train de jouer de cet instrument.

Il faut dire que Sophie est le portrait, revu et amélioré, de certaines héroïnes de roman (pures, belles, fragiles et vouées à un destin tragique) : très fine, avec de grands yeux lumineux, une peau parfaite et diaphane, et de longs cheveux blonds, épais et ondulés. Elle marche comme si elle dansait, et elle a la plus jolie voix du monde (il est vrai que j'ai un faible pour les accents). Bref, à côté d'elle, j'ai l'air d'une potiche informe et terne. Et, à côté d'elle, un violoncelle, c'est énorme (surtout vu de près). Et voilà qu'elle m'annonçait, sur un ton tout naturel, que non seulement elle réussissait à soutenir ce monstre, mais qu'elle en jouait assez bien pour donner un récital (à treize ans !).

J'aurais tout donné pour pouvoir l'impressionner un peu, moi aussi. Mais j'avais beau me creuser la tête, je n'arrivais à me découvrir aucun talent particulier. Ah ! pourquoi est-ce que je ne suis pas une virtuose de la harpe, une danseuse inspirée ou un génie de la chimie ?

***

J'avais un peu oublié ma situation de fugueuse, mais Andrzej s'est chargé de me la rappeler brutalement après le souper (ou dîner, comme disent les Kupczynski).

« Je suppose que vous allez vouloir téléphoner à votre mère pour lui dire où vous êtes et la rassurer. Elle a dû s'inquiéter, quand elle a su que Jean-Claude était absent ?

— Eh bien ! pas vraiment. (Je me suis raclé la gorge.) En fait, elle ne sait pas que Jean-Claude n'est pas là.

— Je comprends, a dit Sophie de sa voix chantante. Tu ne voulais pas l'inquiéter. »

Comment allais-je me sortir de ce pétrin ? J'ai choisi la bravade.

« Ce n'est pas ça non plus. En réalité (grand sourire artificiel), je suis partie de Montréal sans lui en parler. »

Pour avoir de l'effet, j'ai eu de l'effet. Sophie m'a dévisagée, les yeux encore plus grands que d'habitude. Karol a levé drôlement les sourcils. Marek m'a fixée d'un air sombre. (Il n'a pas l'air drôle, lui : cheveux noirs, yeux noirs, et l'air sérieux ! Le genre « petit génie en sciences qui ne veut rien savoir de personne ».) Quant à Andrzej, il a mordillé sa pipe un moment avant de me dire, très calmement, qu'il n'avait pas d'ordres à me donner, ni de conseils, mais qu'il n'aimait pas se sentir complice d'une situation trouble.

Aucun reproche, mais je me sentais déjà tellement coupable que j'ai voulu me justifier à tout prix. J'ai tout déballé en vrac : mes parents qui me prenaient pour un bébé, ma mère qui voulait se débarrasser de moi, le camp de vacances où personne ne me forcerait à aller... Plus j'essayais de m'expliquer, plus mes raisons me semblaient faibles. Au bout du compte, j'avais l'air de ce que j'étais : une tête de linotte, et une tête de linotte égoïste, par-dessus le marché.

Un long silence a suivi. Puis Sophie a dit, comme si cela allait de soi :

« Tu devrais l'appeler, ta mère. Au moins pour lui dire que tu viens en vacances avec nous.

— Quoi ? »

C'est à ce moment que j'ai appris qu'ils partaient le surlendemain pour le bord de la mer, plus précisément pour une petite île au large du Rhode Island où ils possèdent une maison. « Modeste », a dit Andrzej. « En fait, il s'agit plutôt d'une bicoque », a précisé Karol. « Dans un état avancé de décrépitude », s'est cru obligé d'ajouter Marek.

« Vous m'invitez vraiment ?

— Bien sûr.

— Alors j'accepte. »

Jamais de ma vie je n'avais pris de décision aussi rapide. (L'idée de voir Karol tous les jours devait y être pour quelque chose.) Il ne restait plus qu'à régler quelques détails.

« Vous restez là combien de temps ?

— Jusqu'à la fin du mois d'août. »

J'aurais dû m'en tenir à ça. Mais, je ne sais pas si c'est dû à la fierté que j'éprouvais de m'être décidée si vite ou au trouble dans lequel me jetait la présence de Karol, je n'ai pas pu m'empêcher d'ajouter :

« Mais alors, quand verrez-vous votre mère ? »

Dans le silence qui a suivi (encore !), on *a* entendu voler une mouche. Puis Marek m'a annoncé sur un ton très neutre qu'Hélène (c'était son nom) était morte de leucémie l'année précédente. Tout ce que j'ai été capable de murmurer, c'est : « Je ne savais pas. Je m'excuse, je ne savais pas. » Ça se peut pas, être stupide à ce point-là ! Quand, un peu plus tôt, Andrzej m'avait parlé de sa femme à l'imparfait, j'en avais conclu qu'ils étaient séparés ou divorcés, comme tout le monde. Jamais il ne m'était venu à l'esprit qu'elle pouvait être morte, décédée comme on dit pour être poli.

Avant de me mettre à brailler, comme dans un mauvais mélo, j'ai demandé où je pouvais téléphoner.

***

« Maman…

— Cassiopée ! Oh ! Cass… Ça va, dis ? Tu vas bien ? Tu…

— Oui, oui. Ne t'inquiète pas. »

Et, sur ces paroles rassurantes, j'ai éclaté en sanglots. À l'autre bout du fil, ma mère en a fait autant. Puis, pendant cinq bonnes minutes, nous avons tenu des propos particulièrement incohérents, parsemés de reniflements et de « Oh ! Cass ! », « Oh ! maman ! ».

J'aurais du mal à répéter notre conversation dans ses moindres détails, mais s'il y a une chose que je n'oublierai jamais, c'est quand maman m'a dit : « Je t'aime, Cassiopée. Ça n'a peut-être pas toujours paru, ces derniers temps, mais si tu savais comme je t'aime. Je… Écoute, il va falloir qu'on se parle, on a tellement de choses à rattraper, toutes les deux. Mais pas tout de suite, pas ce soir et pas au téléphone. Va en vacances avec tes nouveaux amis. Prends tout ce que tu peux de soleil et d'air marin. Mais tu ne peux pas savoir à quel point j'ai hâte de te revoir, après. » Une pause, pendant laquelle le sens pratique de ma mère a pris le dessus sur l'émotion. «D'ailleurs, tu comptes revenir quand ? »

Elle me demandait ça à *moi* !

« Au début d'août, quand tu seras revenue de tes vacances. Et puis...

— Quoi ?

— Je veux pas aller au camp. Je veux rester à Montréal avec toi avant d'aller à Sutton.

— Ça marche... Il va falloir prévenir Georges. Tu veux que je m'en occupe ? »

J'ai hésité. Je n'avais pas du tout envie de parler à mon père, de subir ses reproches, ses ordres...

« Il ne va pas m'obliger à rentrer ?

— Ce n'est sûrement pas l'envie qui va lui manquer... Mais, Cass, tu sais, lui aussi, il a eu très peur pour toi. Il va être tellement soulagé de t'entendre qu'il ne fera peut-être pas trop de problèmes... »

Ça me semblait plutôt improbable, mais j'ai quand même décidé de téléphoner moi-même à papa. Comme ça, il comprendrait peut-être que je n'étais plus un bébé.

« Je suis fière de toi, Cass.

— Ouais... Écoute, s'il pique une crise, je peux lui dire de t'appeler ? (Mon courage avait des limites.)

— Bien sûr. »

On s'est encore fait quelques mamours téléphoniques, puis je lui ai passé Andrzej (qu'elle avait d'ailleurs rencontré pendant la fin de semaine de Pâques et qu'elle avait trouvé « très sympathique et très fiable ») pour qu'ils règlent les derniers détails concernant mon séjour.

***

Mon père m'a crié après et il m'a fait tous les reproches de la terre, et surtout celui de lui faire gaspiller son argent, le dépôt déjà versé pour le camp de vacances n'étant pas remboursable. « Tu m'entends, Cass, pas remboursable ! » Bon, si c'était juste ça qui le préoccupait, il survivrait à ma fugue.

Il n'était pas emballé à l'idée de me laisser partir avec les Kupczynski.

« Tu fugues, tu nous fais des peurs du diable et, après, tu viens réclamer des vacances ? Peux-tu bien me dire ce que tu as fait pour mériter une récompense, hein ? »

Il a continué comme ça pendant un bout de temps, puis il a fini par se calmer.

J'ai raccroché, l'esprit en paix.

Et c'est pas possible comme on est bien, l'esprit en paix !

CHAPITRE

12

Le problème, avec la paix de l'esprit, c'est que ça ne dure jamais. Dans mon lit, ce soir-là, à me tourner de tous bords tous côtés en essayant de trouver le sommeil, j'ai commencé à regretter ma décision hâtive.

Comme une idiote, j'avais accepté de partager pendant quatre semaines la vie de parfaits inconnus ! J'espérais quoi ? Séduire Karol par ma personnalité attachante et mes charmes discrets mais troublants ? Profiter de mes vacances pour améliorer mon polonais ou m'initier aux joies du violoncelle ? Il était plus vraisemblable que je passerais quatre misérables semaines, à me demander quoi faire, quoi dire, quoi pas faire et quoi pas dire.

Il m'est arrivé deux fois de passer une fin de semaine à la campagne chez une amie. Les deux fois, ça a été un désastre. Chez Linda (une fille qui était dans ma classe en secondaire I, qui a déménagé depuis et que je n'ai jamais revue), on passait nos journées à : déjeuner, faire la vaisselle du déjeuner, préparer le dîner, dîner, faire la vaisselle du dîner, préparer le souper, souper, faire la vaisselle du souper, se préparer pour se coucher et se coucher. Le tout agrémenté de la présence de sa mère qui se forçait pour être fine et qui nous tenait de longs discours sur les mérites comparatifs du cheddar et du gruyère, les meilleures façons de décoller une poêle collée et l'importance d'une bonne hygiène corporelle. Passionnant, non ? Tableau différent chez Suzie, où, sa mère étant dans sa phase granola-macrobiotique pétée, on se nourrissait de feuillage et de graines, ce qui ne demande pas beaucoup de préparation et ne salit pas tellement de vaisselle. On avait donc plus de temps pour marcher dans la nature en respirant profondément (c'est bon pour les poumons, le teint, le cerveau, les intestins et les pieds, semble-t-il), méditer (trois fois par jour, une demi-heure chaque fois) et subir les discours de la mère de Suzie, dont les thèmes étaient aussi variés qu'instructifs : les mérites comparatifs des graines et des feuilles, l'astrologie chinoise, le jeûne et ses bienfaits, le yoga, le cri primal, les meilleures marques de condoms, la duplicité des hommes, la façon la plus rapide de parvenir à l'orgasme, le yin et le yang, le bing et le bang, le zen et le zan...

J'en étais là dans mes réflexions lorsque, beding bedang, deux pensées m'ont traversé l'esprit. Un : je n'avais pas de maillot de bain. Deux : j'avais des poils. Du coup, je me suis assise dans mon lit en gémissant.

Le maillot, encore, ce n'était pas si grave. Sophie me dirait sûrement où je pouvais en acheter un. Mais les poils... Je ne pouvais quand même pas espérer conquérir Karol avec une allure à la King Kong !

Les poils... Moi qui ai passé les douze premières années de ma vie sans même remarquer que ça existait (j'ai toujours été très myope), me voici obsédée par ces petites choses noires et rudes qui semblent déterminées à me couvrir tout entière. Aisselles, jambes, pubis, tout y passe. Même le duvet léger que j'avais sur les bras et les cuisses me semble maintenant monstrueusement épais et foncé. Jusqu'où ça va aller ?

Suzie, elle, est en faveur du look naturel (nature et fond des bois, oui), et je crois qu'elle me méprise un peu de me préoccuper à ce point de quelque chose d'aussi superficiel. En théorie, je suis bien d'accord avec elle, et j'ai un peu honte de moi. Mais en pratique, autrement dit quand je me regarde dans un miroir, je suis prête à tout pour me débarrasser de ce pelage...

J'ai essayé le rasoir, mais les poils repoussaient tout de suite, plus noirs et plus gros que jamais. J'ai essayé les bandelettes de cire, mais je passais des heures à suer et à me contorsionner (essayez de vous épiler l'arrière des mollets, vous m'en donnerez des nouvelles) pour me retrouver avec des jambes bigarrées. J'ai essayé les lotions, mais ça pue trop, même si les étiquettes promettent un frais parfum de citron ou de rose (les pires, ce sont les non parfumées). J'ai essayé la pince à épiler, mais il ne faut pas avoir grand-chose à faire de ses journées pour arriver à un minimum de résultats avec cette méthode… Finalement, ce que j'ai trouvé de mieux jusqu'à maintenant, c'est l'épilation à la cire chaude que pratique sur moi, le moins souvent possible, Lucie, l'esthéticienne de maman. Vous auriez dû entendre celle-ci le jour où, d'un ton détaché (tellement détaché que ça sentait le discours préparé et répété depuis des mois), elle m'a dit qu'elle pourrait me donner son adresse, si jamais j'étais intéressée à un nettoyage de peau, ou une manucure, ou encore une épilation…

Mais pourquoi est-ce que je n'étais pas allée voir Lucie avant de partir de Montréal??? Évidemment, je ne pouvais pas deviner que, partie pour New York, je passerais un mois au bord de la mer et que, au moins de temps en temps, il me faudrait bien délaisser mes pantalons et mes t-shirts pour un maillot.

Tant qu'à divaguer, autant divaguer un bon coup. J'étais tellement déprimée que j'en suis même venue à en vouloir à mort aux héroïnes de romans et de films. Vous savez, ces filles qui, après avoir survécu à des accidents d'avion ou à des naufrages épouvantables, bravent tous les dangers de la jungle et des déserts (perdues donc à des milliers de kilomètres de toute civilisation) tout en gardant leur beauté, leur élégance et leurs jambes toutes lisses. Ce n'est pas juste.

Et voilà! Pendant que d'autres s'inquiètent de l'avenir de la planète, de la faim dans le monde ou de la menace nucléaire, moi, j'ai fini par m'endormir en ressassant mes problèmes de pilosité.

***

Je commence à croire que la chance me court après : le magasin de vêtements de sport que Sophie m'a indiqué est situé juste à côté d'un Beauty Salon. « Beauty », c'est la beauté, non ? Et la beauté, ça commence par les poils (ou plutôt par l'absence de). Après être passée devant la porte douze fois et avoir eu l'occasion de constater qu'« épilation » ne se disait pas *epilation* en anglais, je me suis retrouvée allongée sur une table, à la merci d'une jolie jeune fille en rose qui a entrepris de m'arracher les poils indésirables, à grand renfort de cire brûlante et de sourires encourageants. J'avais beau me répéter qu'il faut souffrir pour être belle, j'avais hâte qu'elle finisse. Quand le supplice s'est terminé, je me suis regardée dans le miroir. Les jambes rouges et picotées, les dessous de bras comme de la peau de poulet, les aines à vif… On peut dire que j'étais belle ! Heureusement que je savais que, quelques heures plus tard, ma peau serait toute douce, toute lisse. Et désespérément blanche. Tant qu'à y être, j'aurais peut-être dû me payer une séance de bronzage !

***

L'après-midi et la soirée se sont passés en préparatifs et en discussions serrées entre les membres de la famille Kupczynski. Comme les échanges les plus intenses se déroulaient en polonais, j'en perdais des bouts, mais l'idée générale était claire : la voiture familiale n'était pas un camion de déménagement, et, une fois casés le violoncelle de Sophie, le télescope de Marek et la planche à voile de Karol, il fallait penser à limiter le restant des bagages, ce qui n'allait pas sans heurts. Dans tout ce brouhaha, je passais un peu inaperçue, et ça faisait bien mon affaire.

Tout le monde est allé se coucher de bonne heure, car le départ est fixé pour six heures demain matin. Moi, une fois de plus, j'ai du mal à m'endormir et je me demande, de toutes les façons possibles, comment ça va se passer, ces quatre semaines, etc. Maintenant que mes problèmes de maillot et de poils sont réglés, je peux passer à des questions plus profondes et plus essentielles. Par exemple, pourquoi faut-il toujours que j'aie des boutons ou des feux sauvages aux moments les plus inopportuns ? Ou comment faire pour que les Kupczynski mâles ne se rendent pas compte du moment où j'ai mes règles ? Ou, mieux, comment gagner le cœur de Karol ?

J'échafaude les plans les plus compliqués, j'invente les situations les plus romantiques… Karol et moi perdus en mer et n'échappant à la mort que grâce à mon courage et à ma présence d'esprit. Karol et moi poursuivis par des requins sanguinaires (cette fois, c'est Karol qui montre un sang-froid et un héroïsme extraordinaires ; moi, je gis inconsciente sur un radeau de fortune). Karol et moi au cœur d'une forêt en flammes. Karol et moi enlevés par des pirates. Karol et moi…

CHAPITRE

13

Nous sommes dans l'île depuis deux jours. Et, depuis deux jours, j'ai l'impression de flotter dans un état second.

La « bicoque dans un état avancé de décrépitude » annoncée par les Kupczynski est en fait une grande maison qui aurait besoin d'une bonne couche de peinture, mais qui m'a séduite dès le premier coup d'œil, comme m'a aussi séduite ma chambre, toute blanche et coincée dans l'angle formé par le toit. Le luxe du luxe, c'est ma lucarne avec vue sur la mer. La maison s'appelle d'ailleurs comme ça : *Morze*, c'est-à-dire « mer » en polonais. Elle est merveilleusement bien située, à l'extrémité d'une falaise où, à marée haute, viennent se fracasser les vagues. Où qu'on regarde, on n'aperçoit que la mer, le ciel, les landes, les falaises et les dunes. Pas de voisins, pas de quai ni de plage aménagée. La paix totale. Rien à voir avec Wildwood, où maman et moi avons eu la mauvaise idée d'aller l'année dernière et où la plage ressemblait à un immense stand à hot-dogs ou à La Ronde en plein mois de juillet. Ici, la présence de la mer s'insinue partout. On la respire, on la sent battre et palpiter, on la goûte sur nos lèvres.

Le soleil ne s'est pas encore montré, depuis notre arrivée, mais ça n'enlève rien à mon bonheur d'être ici, à cette espèce d'exaltation qui m'envahit lorsque je marche le long de la falaise, sur la plage ou dans les petits sentiers qui ne mènent nulle part. Bien au chaud avec mon jean et mon gros chandail rouge, les cheveux tout mêlés à cause du vent, je respire de toutes mes forces et je ris toute seule, des odeurs d'algues et de sel plein le nez.

***

Héroïquement, j'ai annoncé aux Kupczynski que je voulais améliorer mon anglais. On va donc parler anglais les jours pairs, français les jours impairs. « Et polonais le reste du temps », a lancé Marek sans rire. J'ai l'impression qu'il se serait bien passé de ma présence, celui-là. Cependant, même cette pensée n'arrive pas à entamer ma bonne humeur.

***

Le soir, nous nous retrouvons tous au salon, à lire, à parler, à écouter de la musique. De la musique classique, pour faire plaisir à Sophie, mais aussi de vieux chanteurs français, du rock d'il y a vingt ans ou les plus récents succès... Brel et Trenet côtoient Mahler, Bach et Sting. Les Beatles fraternisent avec Juliette Gréco et Purcell. Et Leonard Cohen cède la place à Van Morrison avant de revenir avec Jeanne Moreau, Bruce Springsteen ou Chopin (les *Polonaises*, bien sûr !). Jusqu'à maintenant, pour moi, la musique, ça servait surtout de bruit de fond. (Marek m'a regardée d'un air indigné quand je leur ai avoué ça.) Mais là, dans ce tourbillon de musiques, de paroles et de sensations, je me laisse flotter, ballotter, imprégner. Je resterais des heures et des heures comme ça.

La plupart du temps, Andrzej ne dit pas un mot. Il se contente de nous écouter et de tirer sur sa pipe d'un air pensif. J'aime beaucoup l'odeur de sa pipe. Pourquoi est-ce que ce n'est pas de lui que maman est tombée amoureuse ?

***

Quand je pense qu'il y a seulement quelques jours je m'inquiétais de ce que seraient mes rapports avec les Kupczynski… J'ai vraiment le don de me faire des peurs pour rien. Même avec Marek, tout se passe bien. Il n'est ni bête ni méchant, finalement. C'est juste qu'il sourit moins que les autres (et qu'il est moins beau, mais ça n'a rien à voir).

Chacun se lève quand il veut, déjeune de ce qu'il y a, vient ou non dîner et passe son temps selon ses goûts ou ses obligations. Karol attend que le soleil se montre pour commencer à travailler comme *lifeguard* à Crescent Beach, la plage la plus fréquentée de l'île. Marek a entrepris de refaire une beauté à la maison et il passe ses matinées à cogner, à gratter et à rafistoler des bouts de bois ; l'après-midi, il disparaît sans rien dire à personne. Sophie s'exerce au violoncelle tous les matins. Andrzej travaille sur sa thèse et, l'après-midi, lui aussi disparaît souvent, mais pas avec Marek, je crois. Je suis la seule à n'avoir vraiment aucune obligation, la seule à être libre comme l'air, le sable et la mer. Je marche pendant des heures. J'emporte un livre, une pomme et un peu de fromage. Quand je suis fatiguée, ou juste quand j'ai le goût, je me réfugie dans mon coin secret. Je l'ai découvert par hasard, en tentant de descendre à la plage le long de la falaise. Il s'agit tout simplement d'un creux dissimulé par de hautes herbes, invisible d'en bas comme d'en haut, et juste assez grand pour que je m'y sente à l'aise. Là, face à la mer, je me croirais seule au monde.

***

Ce matin, je me suis réveillée très tôt, aux premières lueurs de mon premier soleil sur l'île. Je me suis précipitée dehors pour observer la mer du bout de la falaise. À ma grande surprise, j'ai aperçu Marek, sur la plage, qui revenait vers la maison. Où avait-il bien pu aller à une heure pareille ?

***

Le soleil revenu, Karol passe ses journées à Crescent Beach, un sifflet autour du cou et une crème blanche sur le nez. Il est tout bronzé et plus beau que jamais (si on oublie le nez). Malheureusement, je ne suis pas la seule à m'en être rendu compte. La plage semble peuplée de belles filles aux corps superbes et aux sourires radieux qui n'ont rien d'autre à faire que de s'enduire d'huile solaire et de tourner autour de Karol, collantes et ravissantes. Il y en a une, en particulier, que je voudrais bien voir se casser une jambe ou attraper la varicelle. Elle s'appelle Cindy, elle est grande et brune, et elle parle tout le temps. Les rares fois où elle s'adresse à Sophie et moi, c'est pour nous appeler « the kids ». Sophie la déteste autant que moi, mais Karol la regarde avec des yeux gourmands qui me donnent envie de vomir.

D'un commun accord, Sophie et moi, on a décidé d'espacer nos visites à Crescent Beach.

***

Je ne sais pas si mon anglais s'améliore (un jour sur deux), mais mon polonais se développe à vue d'œil. Je connais déjà cinq mots : *morze*, *tak*, *nie*, *dzień dobry* et *dziękuję*, qui signifient respectivement « mer » (ça, vous le saviez déjà), « oui », « non », « bonjour » et « merci ». Pas mal, non ?

C'est une drôle de langue, le polonais. À l'oreille, c'est doux et dur, un peu chuintant. À l'écrit, c'est tout à fait illisible, avec des tas de *z*, de *j*, de *w* et d'*y* partout. Et des accents, des cédilles, des points et des petites barres croches… Pour tout arranger, ça ne se prononce même pas comme ça s'écrit (du moins pour mes yeux francophones), et l'allure des mots change selon leur rôle dans la phrase ! Il faut aimer se compliquer l'existence…

***

Souvent, le matin, je m'attarde un peu autour de la maison pour écouter Sophie jouer du violoncelle. C'est plus beau que tout ce que j'ai entendu jusqu'ici. Un son grave et profond, comme une plainte retenue. J'ai dit à Sophie que je trouvais que c'était un son plein de dignité, et elle a trouvé ça drôle.

Je l'aime beaucoup, Sophie. Elle est… lumineuse. Ses cheveux, son sourire, ses yeux, sa voix, tout en elle est clair et chantant. Harmonieux. Et, comme elle est aussi très gentille et pas prétentieuse du tout, je ne lui en veux pas trop d'être tout ce que je ne serai jamais.

Ce matin, avec des mines de conspiratrice, elle m'a fait signe de la suivre.

« Viens.

— Où ça ?

— Dehors. J'ai quelque chose à te montrer. »

On a couru jusque sur la plage. Là, elle a sorti un petit sachet de sa poche.

« Regarde.

— C'est quoi ?

— *A safe*. Ça se dit comment, en français ? »

Seigneur ! une capote ! (Ou un condom, comme on dit dans les cours de Formation personnelle et sociale.)

« Où tu l'as pris ?

— Par terre. C'est tombé du blouson de Karol, tantôt, quand il est parti pour la plage. »

On s'est regardées, toutes les deux, et on s'est mises à rire (un peu nerveusement, je dois dire). Moi, bien sûr, je me sentais férocement jalouse (avec qui il fait ça, hein ? avec Cindy ou avec Tanya, une blonde aux cheveux très courts qui sourit tellement qu'on croirait qu'elle a la mâchoire bloquée ?). Mais, en même temps, je ne pouvais m'empêcher de rire en imaginant Karol en train de fouiller ses poches au moment crucial.

« Tu en as déjà vu un ?

— Non.

— On l'ouvre ? »

J'ai fait oui de la tête.

Avec des précautions infinies, Sophie a déchiré le sachet et en a sorti « la chose ».

Nous l'avons examinée un moment en silence, en long et en large. Puis Sophie a dit tout haut ce que je pensais tout bas.

« C'est énorme… Ça doit faire mal. »

On songeait à la même chose. Déjà que j'ai du mal à me mettre un Tampax !

« Remarque, il paraît que, quand on est excitée, le vagin se lubrifie… Ça doit aider. »

J'ai repensé au party de Pâques, et je me suis sentie mal à l'aise.

« Tu crois… tu crois qu'il fait l'amour souvent, Karol ?

— Je n'en sais rien. Avant, il avait une petite amie, et je crois bien qu'ils le faisaient tous les samedis. C'est beaucoup, tu crois ?

— Je ne sais pas. »

Bon, maintenant que notre curiosité était satisfaite, nous ne savions pas trop quoi faire de ce condom. « Tu le veux ? » m'a demandé Sophie avec un sourire espiègle, mais j'ai refusé, horrifiée. Si quelqu'un le trouvait dans mes affaires ! Nous avons fini par l'enterrer au pied de la falaise. Comme ça, il ne risquait pas de réapparaître au sommet d'une vague ou au beau milieu de la plage. La cérémonie terminée, j'ai repensé à Marek revenant au petit matin. J'ai demandé à Sophie :

« Et Marek, il a déjà fait l'amour ? »

Elle a haussé les épaules.

« Je ne sais pas. Mais ça m'étonnerait. Lui, à part les cailloux, les baleines et les étoiles, il n'y a pas grand-chose qui l'intéresse. Surtout pas les filles, si tu veux mon avis. »

***

Le soir, quand Karol est rentré, je l'ai regardé attentivement. Il avait son air habituel. Mais plus tard, dans mon lit, j'ai eu plus de mal que d'habitude à nous imaginer tous les deux, la main dans la main et les yeux dans les yeux, en train de nous jurer un amour éternel après avoir échappé (par miracle) à une armée de crabes ou à une horde de serpents venimeux.

Est-ce qu'il y a des serpents venimeux dans l'île ?

***

Déjà une semaine que nous sommes dans l'île. Je dis « déjà », mais, en même temps, il me semble que je fais partie depuis toujours du paysage et de la famille.

***

Démons et merveilles
Vents et marées
Au loin déjà la mer s'est retirée

Ce n'est pas moi qui dis cela, c'est Jacques Prévert, dont je me gave depuis deux jours.

Dans un coin du salon, pêle-mêle, j'ai trouvé des piles de livres. En français, en anglais, en polonais. Dans beaucoup, un nom : Hélène Delagrave, parfois Hélène Kupczynski. Et même, à mon grand étonnement, Marek K. Je découvre, émerveillée, des mondes dont je ne soupçonnais pas l'existence. Et je ne parle pas de pays lointains.

Démons et merveilles… Je ferme les yeux et je me répète ces lignes, encore et encore, comme une incantation. Encore et encore, au rythme de la mer qui s'échoue à mes pieds.

***

Cet après-midi, je lisais, bien à l'abri dans mon coin secret, quand Marek a fait irruption, un bouquet de fleurs sauvages à la main. Interdite, j'ai d'abord cru qu'il voulait m'offrir son bouquet et je me suis sentie devenir cramoisie. Puis il a dit :

« Oh ! excuse-moi ! Je… je ne savais pas que tu étais là. »

Et patatras pour mon charme incendiaire. Ça m'apprendra à me faire des idées ! Mais s'il n'était pas pour moi, ce bouquet, il devait être pour une autre fille, qui n'allait pas manquer d'apparaître d'une minute à l'autre. Mon coin secret était un lieu de rendez-vous galant !

Merde.

Ainsi, Sophie s'était trompée : son frère s'intéressait à autre chose qu'aux baleines. J'aurais d'ailleurs dû m'en douter, l'autre matin. D'où aurait-il pu revenir, sinon d'un rendez-vous nocturne et amoureux ?

Avec le plus de naturel possible, je me suis levée.

« Je partais, de toute façon. C'est moi qui m'excuse. Je ne savais pas que c'était… que tu rencontrais… enfin, que… »

Je ne savais pas comment finir. J'ai fait un petit sourire crispé avant de commencer à m'éloigner.

Je n'avais pas fait cinq pas que Marek m'a arrêtée.

« Non, attends, Cassiopée. Ce… ce n'est pas ce que tu crois. »

Je me suis tournée vers lui.

« Tu n'es pas obligé de m'expliquer, tu sais.

— Je sais, mais… »

Et là, chose incroyable, c'est lui qui a rougi.

« Quand je t'ai vue là, en train de lire… Tu sais, c'était le coin préféré d'Hélène. Ma mère. C'est ici qu'elle venait se réfugier quand elle pouvait s'échapper un peu de nous tous. C'est… »

Sa voix s'est enrouée, et il s'est mis à regarder ses pieds.

Je restais là, figée, incapable de parler ou de bouger. Je n'arrivais pas à croire à ce qui était en train de se passer. Ce grand garçon renfermé, toujours un peu distant, était maintenant sans défense devant moi. J'espérais juste qu'il ne se mette pas à pleurer ! Quand il a relevé la tête, il y avait une douceur infinie dans ses yeux. Avec un coup au cœur, je me suis rendu compte qu'il était beau. Pas de la beauté lumineuse des autres, mais d'une beauté ébouriffée, un peu sauvage, pleine d'ombres et d'aspérités.

« C'est la première fois que je viens ici depuis sa mort. Ça faisait trop mal, tu comprends. Et puis, aujourd'hui… (Il m'a désigné ses fleurs.) Je crois que c'est ici qu'elle aurait aimé être enterrée, face à la mer. »

Je n'ai rien répondu, mais je crois qu'il a compris que j'avais compris.

Il a laissé son petit bouquet. Ensuite, nous sommes descendus sur la plage et là, à la limite de la vague et du sable, nous avons marché longtemps sans rien dire.

***

Je n'ai parlé à personne de cette rencontre, pas même à Sophie, mais elle doit bien se douter qu'il s'est passé quelque chose parce que, depuis, on voit plus souvent Marek.

Le matin, il continue à clouer, à gratter et à peindre ses bouts de planches, mais, l'après-midi, il vient à la plage ou il fait de grandes randonnées à bicyclette avec nous. Et même, avant-hier, Sophie et lui ont passé la journée à essayer de m'inculquer les rudiments de la planche à voile. J'ai passé pas mal plus de temps sous l'eau que sur la planche, mais je me suis amusée comme une petite folle. Par chance, cette séance de plafs et de ploufs s'est déroulée sur une plage déserte, bien loin de Crescent Beach. Je serais morte de honte (vous avez bien lu : morte) s'il avait fallu que Karol assiste à mes malheureux essais et qu'il me compare aux dizaines de championnes de planche à voile qui rivalisent de prouesses pour lui arracher un regard ou un sourire. Les pauvres, elles ne savent pas ce qui les attend. Encore quelques siècles d'entraînement, et je leur montrerai de quoi je suis capable !

***

Après l'exercice, la science. Comment on dit, déjà ? Un esprit sain dans un corps sain…

Je ne sais pas au juste à quoi je m'attendais quand Marek m'a proposé une séance d'observation d'étoiles au moyen de son télescope. Peut-être à des gros plans de Saturne ou à une apparition de petits bonshommes verts…

J'ai collé mon œil à l'oculaire, et je n'ai rien vu. J'ai vissé et dévissé (en général dans le mauvais sens), levé et baissé et presque arraché le truc que me désignait Marek (il paraît que ça s'appelle une crémaillère de mise au point), mais ça n'a rien changé. Tout ce que je réussissais à distinguer, c'était une espèce de concentration de flou entourée d'un halo plus flou encore. Et même, ce n'était pas sûr. C'était peut-être un tour que me jouait mon imagination (débordante) – ou mes yeux (myopes).

« Tu es sûr que ça marche, ton truc ?

— Mais oui, ça marche. »

Et, après m'avoir remplacée à l'oculaire, il a entrepris de me le démontrer, à grands coups de commentaires enthousiastes et incompréhensibles où il était question de magnitudes, de parallaxe et de je ne sais trop quoi d'autre.

« Tiens, regarde, maintenant. C'est magnifique ! »

De nouveau, j'ai regardé, et, de nouveau, je n'ai rien vu. J'aurais bien voulu m'enthousiasmer, moi aussi, quitte à tricher un peu, mais je ne savais même pas *quoi* décrire.

« Écoute, Marek, je renonce. Quand tu auras acheté le télescope du mont Palomar, fais-le-moi savoir, et je viendrai jeter un coup d'œil dedans. En attendant, je vais me contenter de les regarder à l'œil nu, les étoiles, et de les admirer comme l'ignorante que je suis. »

Marek a eu beau m'accuser de fraude et de fausse représentation (« Ça s'appelle "Cassiopée", et ça n'est même pas foutu de distinguer Rigel de Bételgeuse ou Altaïr d'Antarès… quelle honte ! »), je suis restée ferme. Étendue sur le sol, je me suis perdue dans la contemplation de toutes ces étoiles dont je ne saurai jamais les noms. J'ai quand même salué au passage la Grande

Ourse, la Petite Ourse et Cassiopée (tiens, tiens). Après tout, je ne suis pas aussi nulle que Marek voudrait bien le croire !

***

Hier soir, feu de camp avec solo de violoncelle au clair de lune. Luxe, calme et volupté, comme dirait Baudelaire (il faut bien que mes lectures servent à quelque chose).

Ce doit être ça, le bonheur.

« Oh ! It is so romantic ! It is, oh !, it is… »

Et ça, c'était Cindy, la brune et bavarde Cindy, incapable de rester silencieuse plus de quinze minutes (en fait, je m'étonne même qu'elle se soit tue durant toute la *Suite n° 2 pour violoncelle seul*, de Bach) et qui s'est empressée de saccager la perfection de cette nuit de sa voix un peu nasillarde et de ses émois qui n'intéressaient personne.

Une seule consolation : même Karol l'a regardée avec un air de reproche.

CHAPITRE

14

Aujourd'hui, 19 juillet, j'ai quinze ans.

Comme je n'en ai parlé à personne, personne ne m'a souhaité bonne fête. Normal, non ? Dans ce cas, pourquoi est-ce que je chiale comme une perdue ?

Il faut dire qu'aujourd'hui les Kupczynski au grand complet avaient l'air bête au réveil et qu'ils sont tous horriblement occupés toute la journée : Karol à aller se pavaner devant ses fidèles adoratrices ; Sophie à déchiffrer un nouveau morceau de musique ; Marek à s'attaquer à une porte qui ne lui a pourtant rien fait ; et Andrzej à faire la tournée de douze quincailleries « sur le continent ».

« Tu veux venir ? » m'a-t-il proposé comme à contrecœur.

Pour avoir le bonheur d'admirer des millions de boulons et quelques centaines de pentures ?

« Non, merci. Je suis occupée, moi aussi. »

Alors, je me suis réfugiée dans mon coin secret, où j'ai trouvé un nouveau bouquet de fleurs sauvages, tout frais. Marek ? Mais pourquoi ?

J'ai essayé de lire, mais le cœur n'y était pas. De regarder la mer, mais ça n'a réussi qu'à me faire brailler de plus belle. Quinze ans, et personne pour me souhaiter des tas de belles choses, personne pour me dire bonne fête en m'embrassant… Si au moins j'avais dit à Sophie ou à Marek, négligemment, il y a quelques jours : « Ah oui ! pendant que j'y pense, dimanche je vais avoir quinze ans… » À présent, il est un peu tard.

***

Soudain, Marek est apparu (ça devient une habitude). Sans paraître remarquer mes joues trempées et mes yeux rouges, il m'a dit, à peine aimable :

« Je me doutais bien que je te trouverais ici. J'ai besoin de quelqu'un pour tenir la porte, et comme tu es la seule qui ne fait rien… »

La seule qui ne fait rien ! Non, mais, pour qui il se prend ? J'ai bien failli lui crier plein de bêtises et le laisser se débrouiller tout seul avec sa foutue porte, mais je me suis retenue. Je n'ai jamais été très douée pour les éclats.

L'esprit bouillonnant d'idées noires et de colère rentrée, je l'ai suivi jusqu'à la maison.

***

« SURPRISE ! »

Je me suis arrêtée net. Devant la maison, décorée de banderoles et de ballons, ils étaient tous là : Andrzej, Sophie et Karol, bien sûr, mais aussi maman et Jacques (tiens, je l'avais un peu oublié, celui-là) !

À côté de moi, Marek avait un sourire fendu jusqu'aux oreilles et même plus loin.

« Oh ! »

Tout ce que j'arrivais à dire, et à répéter, c'était cela : « Oh ! » Je me suis tournée vers Marek, je lui ai martelé l'épaule de coups de poing puis j'ai couru vers maman.

Et là, à travers les rires et les larmes, j'ai enfin eu droit au premier « Bonne fête ! » de mes quinze ans.

***

Quelle journée ! Après avoir été inondée de vœux et de baisers, j'ai été submergée de cadeaux. Il y avait même une enveloppe de la part de Jean-Claude (il avait donc daigné lâcher Orson Welles, le temps de m'écrire? Vraiment, c'était trop d'honneur…).

L'après-midi, à la plage, j'étais tellement de bonne humeur que même la présence de Jacques n'arrivait pas à me déranger. Lui et maman avaient l'air bien ensemble, et je me suis sentie un peu coupable de lui en avoir tant voulu. Maman l'aimait, c'était le principal, non? Bon, d'accord, il avait l'air un peu ridicule, le pauvre, avec sa graisse blanche et flasque (qui virait au rouge et flasque à la fin de la journée), ses poils et son petit chapeau destiné à protéger son crâne du soleil. Mais est-ce que ça avait tellement d'importance?

Un peu plus tard, après une partie de ballon pendant laquelle Jacques nous a tous fait rire à en attraper le hoquet, Marek m'a demandé pourquoi je le détestais tellement.

« Après tout, m'a-t-il dit, ta mère a bien le droit de vivre, elle aussi, et…

— Suzie, tais-toi!

— Pardon?

— Pas de discours moralisateurs, veux-tu? De toute façon, j'étais justement en train de me dire que je m'étais conduite comme une idiote, alors pas besoin d'en… »

Je n'ai pas pu finir, parce que Marek m'a enfoncé la tête sous l'eau et que c'est très difficile de parler quand on est à moitié étouffée.

***

Le soir, on a encore eu droit à un récital de violoncelle (en mon honneur!). Cette fois, Cindy n'était pas là pour troubler la beauté de la nuit, et personne n'a semblé s'en plaindre, pas même Karol, tellement beau à la lueur des flammes!

J'étais un peu assommée, par l'émotion, le soleil, le grand air et le premier champagne de ma vie. Le champagne, ça m'a fait éternuer, mais j'en ai quand même pris deux verres, pour bien me prouver que j'étais rendue grande.

Mes deux verres dans le nez (c'est le cas de le dire), je me suis sentie particulièrement audacieuse. J'ai été trouver Marek.

« Les fleurs, ce matin, c'était pour ta mère ou c'était pour moi ? »

Je l'ai vu rougir pour la deuxième fois.

« Pour toi. Pour que ton début d'anniversaire ne soit pas complètement gâché.

— Tu es gentil, tu sais. »

Puis, je ne sais pas ce qui m'a pris, je me suis mise sur le bout des orteils et je l'ai embrassé, très vite, au coin des lèvres.

Après, je me suis sauvée. Je regrettais déjà mon geste (pour lequel j'accusais le champagne, bien sûr).

Pourvu qu'il n'aille pas s'imaginer que je suis amoureuse de lui !

***

Le lendemain, maman nous a emmenées magasiner, Sophie et moi, « pour que vous soyez toutes belles pour la fête ». Cette fête, c'est l'événement de l'été. Elle va avoir lieu samedi (dans cinq jours !) et devrait rassembler tout ce que l'île compte comme hommes, femmes, enfants et autres animaux à deux pattes. L'après-midi, il va y avoir une foire avec jeux d'adresse, manèges et bingo. Le soir, Crescent Beach va se transformer en immense piste de danse… Sophie et moi, on a décidé qu'on serait éblouissantes. Pour Sophie, ça ne pose aucun problème. Pour moi… eh bien, je vais prendre tous les moyens pour y arriver, à commencer par une robe neuve (et une petite retouche d'épilation à la dernière minute).

À travers les multiples essayages, maman m'observait avec attention.

« J'ai l'impression que tu as un peu minci, Cass. Est-ce que je me trompe ? »

Je me suis bien regardée, moi aussi. Oui, peut-être. En fait, ça n'aurait rien de bien étonnant, avec toutes ces heures que j'ai passées à marcher depuis que je suis dans l'île (sans parler des tonnes de chips et de pizzas que je n'ai pas mangées depuis que je suis là).

« Même que je te trouve particulièrement jolie…

— C'est le bronzage.

— Ce n'est pas seulement ça. Tu souris plus, on dirait, tu débordes d'énergie… Si tu veux mon avis, tu es superbe ! »

Bon, je ne me fais pas trop d'illusions sur l'impartialité des mères (de la mienne, en particulier), mais ça m'a fait vraiment plaisir qu'elle me dise cela. J'avais peut-être une petite chance de plaire à Karol…

J'ai fini par me décider pour une robe soleil aux fines rayures roses et blanches. Les bretelles sont très fines elles aussi, le décolleté plus profond que tout ce que j'ai porté jusqu'ici, et il va falloir que je fasse un effort pour bien bronzer d'ici à samedi si je ne veux pas avoir l'air d'un clown avec mon bronzage à étages (vous savez, le genre de bronzage où l'on distingue les limites de tous les vêtements qu'on a portés depuis le début de l'été et où la peau pâlit au fur et à mesure qu'on s'éloigne des extrémités). Maman m'a aussi acheté un beau chandail blanc, très long et très souple, à l'encolure en V.

« Comme ça, si ton bronzage ne te satisfait pas ou si la soirée est fraîche, tu pourras quand même porter ta belle robe. »

Sophie, elle, a choisi une robe vert pâle qui lui donne un air de petite fille sage auquel il ne faut pas trop se fier.

***

Au souper, la discussion tournait autour de Jean-Claude, de ses recherches en Iowa et des gribouillis d'Orson Welles (encore !). Soudain, la bouche pleine de brocoli, je me suis tournée vers Andrzej.

« Andrzej ?

— Oui?

— Les plantes de Jean-Claude, et son courrier, qui s'en occupe depuis qu'on est ici?»

Grand silence. Maman, Andrzej et Jacques, un peu mal à l'aise, se sont consultés du regard.

«Qu'est-ce qu'il y a? Pourquoi vous faites cet air-là?»

Avec un petit soupir de capitulation, maman a fini par me répondre.

«Eh bien, voilà, Cass: Andrzej n'a jamais vraiment eu à s'occuper de ça. En fait de plantes, Jean-Claude n'a qu'un vieux cactus poussiéreux, habitué à un ou deux arrosages par année, et encore! Quant au courrier, le concierge s'en occupe.

— Mais alors, qu'est-ce qu'Andrzej faisait chez Jean-Claude, le jour où il m'a trouvée?

— C'est moi qui lui avais demandé d'aller y faire un tour... Tu comprends, Cass, j'étais folle d'inquiétude. Je t'avais attendue. Je t'avais cherchée partout. J'avais téléphoné chez Suzie, chez une ou deux autres filles de l'école, chez Georges et Patricia... Je commençais à paniquer sérieusement, à t'imaginer morte, violée, étranglée dans un fossé... J'étais sur le point d'appeler la police quand Jacques m'a fait penser à Jean-Claude. C'était une toute petite possibilité. C'était mon grand espoir. J'ai téléphoné un nombre incalculable de fois, sans succès. C'est alors que j'ai pensé à Andrzej, que nous avions rencontré à Pâques. Je l'ai rejoint. Il avait la clé de chez Jean-Claude... Tu connais la suite.»

Je suis restée un moment à regarder mon brocoli refroidir dans mon assiette.

J'étais déçue, et un peu triste, aussi. Il me semblait que mon aventure venait de rapetisser sous mes yeux. Je ne savais pas si je devais me fâcher, les accuser de m'avoir bassement et lâchement trompée, d'avoir abusé de ma crédulité. Mais je n'avais pas le cœur à me fâcher. Et puis, en fin de compte, peut-être que ça ne changeait rien au fond de mon histoire. Peut-être que c'était juste mon amour-propre qui se trouvait atteint.

J'ai regardé, autour de la table, tout le monde qui me souriait. Et j'ai fini par sourire aussi, du mieux que j'ai pu.

***

On se console comme on peut : Marek ne semble pas se souvenir du baiser que je lui ai donné hier soir. Une chance !

***

Mardi. Ce matin, à la pluie battante, maman et Jacques sont partis pour la Virginie. Avant de partir, maman m'a dit qu'ils songeaient sérieusement à se marier, et elle m'a demandé ce que j'en pensais. Il y a un mois, j'aurais pris ça pour la fin du monde, mais là (serais-je devenue sage ?), je me dis qu'il pourrait arriver pire. Il va falloir que je m'habitue à l'idée, bien sûr, et que je renonce un peu à mon intimité jalousement gardée, mais… le changement, c'est ce qui fait le charme de la vie, non ?

« Je croyais que tu trouvais ça démodé, le mariage ? Et que, de toute façon, tu avais juré de ne plus jamais t'y faire prendre ? »

Maman a éclaté de rire, même pas gênée.

« Tu vois, Cass, il faut croire qu'on change parfois d'idée.

— Bon, bien, alors, si c'est ça qui vous tente… je trouve que c'est une très bonne idée. »

Si ma voix manquait un peu de conviction, maman n'a pas semblé s'en apercevoir. Elle m'a serrée fort contre elle.

Je sens qu'on va avoir beaucoup de choses à se dire, elle et moi, dans deux semaines.

***

Mercredi. Il pleut, il pleut, il pleut.

Je crois bien que c'est foutu pour mon bronzage. J'espère seulement que la fête elle-même ne tombera pas à l'eau (de pluie, bien sûr).

***

Fausse alerte au feu sauvage. À trois jours de la fête, c'est bien la pire chose qui aurait pu m'arriver. Alors, quand j'ai senti qu'un horrible petit herpès simplex virus de type 1 (j'ai bien retenu la leçon de Suzie) avait décidé de venir m'embêter, je l'ai noyé dans le Blistex et, surtout, je l'ai engueulé avec l'énergie du désespoir. Ça a marché, et le misérable a disparu avant même de s'être vraiment montré ! Suzie dirait sans doute que les médecins n'ont rien compris et qu'en fin de compte, les feux sauvages, c'est psychosomatique.

***

Dire que j'ai passé les quinze premières années de ma vie sans savoir qu'il existe soixante-seize espèces de baleines (tu es sûr que tu n'en as pas oublié ? ai-je demandé à Marek) et que chacune montre une forme particulière de souffle (vous savez, cette espèce de jet qui monte dans les airs et qui, dans les films, nous apprend que le héros ou l'héroïne est en très mauvaise posture – mais je confonds peut-être avec les ailerons des requins, qui, eux, ne sont pas des baleines, voyons). Autant profiter de la pluie pour s'instruire !

« Regarde celle-ci. Quelle élégance ! Et tu devrais la voir marsouiner ! »

Quand il commence à parler de ses baleines chéries, Marek n'est plus arrêtable. Il a été chercher de grands livres remplis de dessins et de photos, et il me dévoile avec enthousiasme tous les secrets des baleines, des distinctions entre les mysticètes et les odontocètes aux particularités de l'accouplement chez le mégaptère (aussi appelé jubarte ou baleine à bosse)…

Bon, je ne suis pas encore une experte et, à première vue, j'aurais du mal à différencier une *Balaenoptera acutorostrata* d'un *Eschrichtius robustus*. Mais, depuis deux jours, mes connaissances baleinières se sont multipliées d'une façon phénoménale. Il est vrai que ce n'était pas bien difficile, étant donné leur quasi-inexistence initiale: je savais, comme tout le monde, qu'il s'agissait de mammifères et non de poissons, et, comme tout le monde, j'avais vaguement entendu dire que certaines espèces étaient en danger. À part ça, zéro.

***

Jeudi. C'est bien beau les baleines et les discussions passionnées sur Boris Vian ou Salinger (que je découvre dans des livres de Marek), mais j'ai fini par en avoir assez de rester enfermée. Ce matin, j'ai enfilé un imperméable et des bottes trop grandes pour moi, et j'ai lancé à la ronde:

« Je sors. »

Andrzej n'était pas là, alors il n'a rien dit (il me semble d'ailleurs qu'il s'absente souvent, Andrzej, ces temps-ci). Sophie et Karol m'ont regardée d'un air horrifié, mais Marek, lui, m'a demandé s'il pouvait m'accompagner.

« Bien sûr. »

Et nous nous sommes retrouvés au beau milieu de ce qui ressemblait fort à une tempête. Trempés jusqu'aux os (on se demande à quoi peuvent bien servir les imperméables), nous avons lutté contre le vent, sauté dans des flaques immenses et admiré sans bouger les vagues qui montaient à l'assaut des rochers avant d'exploser avec fracas. Euphorie, exaltation, sentiment de puissance: je ne trouve pas le mot qui décrirait exactement ce que je ressentais, mais, à cet instant, je jure que je me suis crue immortelle.

***

Vendredi. Depuis hier, Marek et moi, on fait nos deux petits tours quotidiens dans la tempête. Je n'irais pas jusqu'à dire que j'espère que ce qu'on appelle le mauvais temps va durer (après tout, j'ai une robe rose à étrenner, moi), mais ces promenades tumultueuses me procurent un étrange bonheur.

Bonheur qui se prolonge dans la chaleur du retour, dans le bol de lait au chocolat chaud qu'on s'empresse de préparer, dans les heures passées ensuite à écouter des disques de Marianne Faithfull, Yves Montand ou Jeanne Moreau.

Sophie a un faible pour Jeanne Moreau, qu'elle trouve délicieusement amorale. Moi, je ne me lasse pas de la « Barbara » d'Yves Montand (pardon, la « Barbara » de Prévert mise en musique par Kosma et chantée par Montand – il faut être précis, dans cette famille !). « Ruisselante, ravie, épanouie... », je la fais jouer et rejouer à en user le disque.

Jamais je n'aurais cru que la vie pouvait être aussi simple.

***

Samedi. Je retire ce que j'ai écrit hier. La vie *pourrait* être simple, si certains ne faisaient pas tout pour la compliquer.

Ce matin, le soleil est revenu (youppi ! la fête va avoir lieu !). Après le déjeuner, tout en grattant une poêle à moitié carbonisée, j'essayais d'expliquer à Marek que je trouvais bizarre de me sentir si bien avec eux, alors que j'avais toutes les raisons du monde de me sentir insignifiante, ignorante, sans intérêt. Marek s'est mis à rire.

« Ah oui ? Et quelles sont toutes ces raisons ? »

Je n'aurais pourtant pas dû avoir besoin de lui faire un dessin. Depuis mon arrivée, je n'arrêtais pas de découvrir des choses dont j'ignorais jusqu'à l'existence, ou presque. J'étais un chef-d'œuvre de platitude et d'ignorance, tandis qu'eux étaient tellement intéressants. Et beaux, et intelligents, et bourrés de talent, et... Marek m'a interrompue. Il ne riait plus.

« Tu penses vraiment ce que tu dis ?

— Écoute, je ne dis pas ça pour me faire plaindre ou quelque chose comme ça. Au contraire, je vous suis tellement reconnaissante pour tout ce que vous m'avez appris. »

Là, j'ai eu droit à un beau discours. (Décidément, Marek me fait parfois penser à Suzie, en beaucoup plus drôle.) Mi-sérieux, mi-rieur, il a entrepris de me démontrer à quel point sa famille était « tout ce qu'il y a de plus ordinaire, de plus bêtement polonais dans la tradition mise sur pied entre Copernic et Chopin ».

Sophie était un génie du violoncelle (sans parler qu'elle était d'une beauté exceptionnelle) ?

« Mais, ma pauvre Cassiopée, penses-y un peu, une Polonaise, et même une moitié de Polonaise aux trois quarts américanisée, blonde et musicienne, il n'y a rien de plus banal. C'est un affreux cliché. »

Lui-même était une véritable encyclopédie en ce qui concernait les étoiles et les baleines ?

« Et après ? Veux-tu bien me dire à quoi ça me sert, sinon à faire fuir tous ceux que j'assomme de mes "connaissances prodigieuses", comme tu dis. Et ne me demande surtout pas de quoi a l'air un hippopotame, je n'en sais rien. »

Quant à Karol, « qu'est-ce que tu lui trouves de si extraordinaire, à part son charme facile ? »

Son charme facile ? Indignée, j'ai bondi à la défense de Karol. D'une voix enflammée, j'ai répliqué que Karol était d'une beauté qui dépassait toutes les imaginations, qu'il était grand, fort, intelligent, spirituel, remarquablement gentil et sensible, généreux… Que c'était le garçon le plus merveilleux du monde, le plus…

Marek m'a regardée d'un drôle d'air.

« Toi aussi ? Pourtant, j'aurais cru… »

Je l'ai interrompu.

« Et, de toute façon, pourquoi essaies-tu de dénigrer Karol ? Tu es jaloux, ou quoi ? »

D'abord, il n'a pas répondu. Puis il a eu un sourire un peu las.

« Jaloux… Oui, je suppose que je suis jaloux. »

L'arrivée d'Andrzej a mis fin à cette charmante conversation.

« Ah ! Marek, je suis content de te trouver ici. Je voulais te dire, t'avertir… (Il s'est gratté la tête.) Voilà. Ce soir, à la fête, je ne serai pas seul. Elle s'appelle Sandra et elle a bien hâte de vous rencontrer. »

C'était donc pour ça qu'il s'absentait si souvent !

J'ai regardé Marek. Il était livide.

Il a crié quelque chose en polonais puis il est sorti en claquant la porte.

***

Depuis, personne ne l'a revu. D'après Sophie, il ne viendra pas à la fête.

CHAPITRE

15

Quand il m'a aperçue, avec ma robe rose et mes barrettes qui me dégageaient le visage, Karol s'est écrié :

« Mais qui est cette magnifique jeune fille ? »

Quand est-ce que je vais cesser de rougir pour tout et pour rien ?

Dans l'auto, en allant à la fête, Sophie m'a soufflé :

«Je te l'avais bien dit que ça ne se voyait pas tellement que ton bronzage n'était pas uniforme. »

La soirée s'annonçait belle ! Et tant pis pour Marek qui, comme l'avait prédit Sophie, ne s'était toujours pas montré le bout des orteils.

***

L'alcool étant interdit aux moins de vingt et un ans, la plupart des jeunes présents disparaissaient régulièrement pour aller prendre quelques gorgées à des bouteilles dissimulées un peu plus loin. Moi, je dois dire que je n'en avais nullement besoin, grisée comme je l'étais par mes « succès masculins ». Pas une fois je n'ai eu à me préoccuper de trouver un partenaire pour une danse. Et je n'attrapais pas les plus horribles non plus ! Mais, du coin de l'œil, je n'arrêtais pas d'observer Karol. Quand allait-il se décider à m'inviter ?

La nuit est tombée, et les danses se sont faites plus langoureuses. J'ai passé mes bras autour de nombreux cous, appuyé ma tête contre beaucoup de mâles poitrines et laissé un certain nombre de mains se balader sur moi (dans des limites raisonnables). Tous ces garçons m'étaient complètement indifférents, mais j'éprouvais un plaisir trouble à me sentir aussi attirante.

Enfin, Karol m'a invitée. Sous ma jolie robe rose et blanche, j'ai senti se durcir les pointes de mes seins. Mon rêve devenait réalité ! Je me suis abandonnée contre lui. J'aurais voulu qu'il sente, dans cet abandon, tout mon amour pour lui. Pourtant, à mesure que la musique s'allongeait, que la danse se prolongeait et que le temps s'étirait, mon bonheur, à moi, semblait diminuer, ou plutôt se dégonfler, comme un ballon usé. Et quand Karol a posé une main sur mon sein gauche et qu'il a commencé à m'embrasser, il m'a semblé qu'il manquait quelque chose. L'émotion n'y était pas. J'avais l'impression qu'il jouait de mon trouble comme j'avais joué, plus tôt, de celui de tous ces garçons qui ne m'étaient rien. Brusquement, je me suis sentie sale. J'ai repoussé Karol et je l'ai planté là, parmi les couples enlacés.

En me retournant, j'ai aperçu Marek, plus loin, qui me regardait fixement. Et la douleur que j'ai lue dans ses yeux m'a fait fermer les miens.

***

J'ai franchi au ralenti les quelques pas qui me séparaient de Marek. Quand je l'ai enfin rejoint, nous sommes d'abord restés silencieux. Puis, d'une voix que je n'ai pas reconnue, je lui ai demandé s'il voulait danser.

« Comme avec eux ? »

Je n'ai pas pu répondre. En moi, quelque chose qui était peut-être mon cœur ou mon âme s'affolait et hurlait : « Non, oh non, Marek, oh non, oh non, Marek ! » Mais tout ce que j'ai réussi à faire, c'est secouer la tête, lentement, avant d'éclater en sanglots. J'avais tout gâché. J'aurais voulu mourir.

***

Sans trop savoir comment, je me suis retrouvée sur la route déserte avec Marek, mon beau chandail blanc autour des épaules.

« Il n'y a que trois kilomètres d'ici à *Morze*. La marche nous fera du bien. »

***

Durant ces trois kilomètres, nous n'avons pas échangé une seule parole.

Devant la maison, Marek m'a dit : « Attends-moi ici. » Au bout de cinq minutes, il est revenu avec un paquet de couvertures et un sac d'oranges.

« C'est une nuit parfaite pour observer les étoiles. »

Un peu plus tard, dans ce qu'il faut bien que j'appelle maintenant « notre » coin secret, nous nous sommes mis à parler. De ces confidences de la nuit, il me reste le souvenir très doux de la tendresse, des aveux timides, des brusques audaces. Le goût des larmes. La sensation toute neuve de ses mains chaudes et fermes, un peu hésitantes, sur mon corps attentif. Et, à tâtons, la découverte de son corps dur et souple de garçon.

J'étais bien, j'étais au chaud, j'aurais voulu que ça ne s'arrête jamais.

« Cassiopée… Je voudrais… Tu veux bien, dis… »

La voix de Marek était rauque, basse. J'ai senti, contre mon ventre, son sexe durci.

« Non ! »

Mon cri avait jailli, sans que j'aie le temps d'y penser.

« Je m'excuse, je m'excuse, mais… je ne peux pas. Je… »

Et je me suis mise à pleurer, pleurer comme jamais je n'ai pleuré dans ma vie, pleurer sans pouvoir m'arrêter, pleurer sans même vraiment savoir pourquoi.

Marek s'est écarté légèrement, pas trop. Je sentais encore sa chaleur à mes côtés, sa main qui serrait trop fort la mienne, son souffle un peu court.

Pourquoi est-ce que personne ne m'avait préparée à ce moment-là ? Bien sûr, j'avais à l'esprit les conseils de maman (« Si tu n'as pas le goût, refuse. Il faut que tu te sentes en confiance, Cass, pour faire l'amour, surtout la première fois. Attends d'être sûre, crois-moi, ça vaut la peine. »), les recommandations de papa (« Si on fait ça à quinze ans, qu'est-ce qu'il reste à vingt ans, dis-moi ? » Jamais je n'ai osé lui répliquer « Oui, mais, si on le fait à vingt ans, qu'est-ce qu'il reste à vingt-cinq ? »), les détails des cours de FPS («N'oubliez pas de prendre vos précautions. Personne ne veut d'une MTS ou d'un bébé inattendu, n'est-ce pas ? »). Facile à dire, tout ça. Mais, dans la vraie vie, au beau milieu d'une nuit noire et claire, avec un garçon qu'on aime (comment ne m'en étais-je pas aperçue plus tôt ?), qu'on respecte et avec qui on se sent en totale confiance, en belle et pure confiance, qu'est-ce qu'on fait quand on ne sait même pas ce qu'on veut ? Quand on ne sait pas si on a le goût ? Quand tout ce qu'on sent, c'est oui et non, désir et peur, peut-être, non, attends…

J'ai quand même fini par me calmer un peu, assez pour penser à me moucher. Dans les livres, le héros a toujours un mouchoir à tendre à sa bien-aimée. Dans la vraie vie, il semble bien que la bien-aimée doive se débrouiller toute seule, ce qui est peut-être une bonne chose, étant donné qu'un pauvre petit mouchoir n'aurait jamais suffi. C'est presque une couverture complète qui a dû y passer. (Adieu, romantisme !)

«Marek… Je m'excuse, tu sais, je ne voulais pas…

— Ne t'excuse pas… Mais, dis-moi seulement… Est-ce que c'est parce que tu crains de te retrouver enceinte, ou… ? Je ne sais pas, moi. »

J'ai pensé au condom, enterré tout près de là, et j'ai eu un petit rire étranglé.

« Non. Peut-être. Je ne sais pas. (Mon Dieu que c'était difficile !) Marek… Je t'aime, je t'aime tellement. Ce n'est pas parce que je ne t'aime pas.

— Je sais.

— Ça n'a rien à voir avec toi, ni même avec un bébé possible. C'est juste moi. Je ne suis pas capable, pas tout de suite. Je ne me sens pas prête. Tu comprends, dis ? Marek ?

— Oui. Jamais je ne te forcerai. Jamais. Je… Mais c'est dur. J'en rêve depuis si longtemps. Je t'attends depuis si longtemps. Depuis toujours, il me semble. Cassiopée. »

Il a eu un rire qui ressemblait à un sanglot. Ou le contraire.

« Tu m'attends, à ton tour, pendant que je fais un brin de trempette ? Un bon bain glacial, rien de tel pour calmer les ardeurs des amoureux trop entreprenants. »

Je n'ai pas répondu, j'ai seulement frotté ma joue contre sa main. Il le savait bien, que je l'attendrais. Après tout, moi aussi je l'attendais depuis toujours.

***

Un peu plus tard.

« Marek…

— Oui ? »

Je me suis sentie gênée, tout à coup.

« Je ne voudrais pas que tu croies… que tu me prennes pour… enfin, pour une agace-pissette.

— Une quoi ? »

Allons bon, ce n'était pas du français international, « agace-pissette » ?

« Une agace-pissette. C'est…

— Ça va, j'ai compris. C'est un mot qui sent le vinaigre et les petites manigances. Un mot qui ne te ressemble pas du tout. Toi… Toi, tu sens le sel et les étoiles. »

***

Nous avons fini par nous endormir, empêtrés dans les couvertures. Je dis « nous »... En fait c'est surtout Marek qui a dormi. Moi, j'ai sommeillé par bouts, mais j'ai surtout passé de longs moments, les yeux grands ouverts, à l'écouter respirer, à regarder les étoiles, à sentir sa chaleur tout contre moi.

***

Pourtant, quand le soleil s'est levé, c'est lui (Marek, pas le soleil) qui me regardait dormir. Un peu gênée, j'ai dit la première chose qui m'est passée par l'esprit :

« Qu'est-ce que tu faisais dehors si tôt ?

— De quoi parles-tu ?

— Un des premiers matins dans l'île, le premier matin de soleil, en fait, je t'ai vu marcher sur la plage alors qu'il était vraiment très tôt. J'ai cru un moment que tu revenais d'un rendez-vous galant, mais...

— Mais c'était un rendez-vous galant !

— Quoi !

— Mais oui... Je venais de renouer avec cette dame, à nos pieds, qui semble nous attendre avec impatience. Rien ne vaut un bon bain de mer pour dissiper les brumes de la nuit et l'haleine du matin. Tu viens ? »

Je n'ai pu m'empêcher d'éclater de rire.

« C'est ça, dis que je pue ! Tu étais plus flatteur cette nuit !

— Je parlais surtout pour moi. Tu ne trouves pas que j'exhale des odeurs de poubelle ?

— Maintenant que tu me le fais remarquer... Allez, grouille-toi, je te suis... Retourne-toi pas, surtout ! »

***

Il ne s'est pas retourné, et je suis entrée dans la mer incognito, si je puis dire. Mais, au moment d'en sortir, Marek m'a dit, tout doucement :

« Cassiopée… Je voudrais tant te regarder. »

Je n'ai pas pu refuser. D'ailleurs, moi aussi, je mourais d'envie de le regarder.

Nous sommes sortis de l'eau en même temps puis, l'un face à l'autre, immobiles, nous nous sommes regardés. Un peu tremblante (de froid, d'émotion et de regret mêlés), j'ai détaillé ses épaules brunes, ses longues jambes, ses hanches minces. Et son pénis dressé. Troublée, j'ai levé les yeux vers son visage, vers ses yeux nus où je pouvais lire son désir et sa peine, son amour et son immense patience.

Ma voix n'était pas très assurée quand j'ai murmuré :

« J'aurais bien envie d'une orange. Pas toi ? »

Je suis remontée et je me suis rhabillée rapidement.

***

Et voilà comment, par une claire nuit de juillet, je n'ai pas perdu ma virginité.

CHAPITRE

16

Andrzej nous attendait, l'air mauvais.

« Marek, j'ai à te parler. Cassiopée, peux-tu nous laisser, s'il te plaît ? »

Je n'ai pas hésité. Après tout, si j'étais assez grande pour décider de ne pas faire l'amour, je devais bien être assez grande pour en subir les conséquences.

« Je reste. Si vous avez quelque chose à dire, vous allez nous le dire à tous les deux. »

Jamais je ne m'étais sentie aussi héroïque ! Ça n'a pourtant pas semblé impressionner Andrzej. Mais il n'a pas insisté, et j'ai pu rester.

En gros, j'étais mineure (« Moi aussi », a fait remarquer Marek), et lui, Andrzej, était responsable de moi. Ma mère m'avait confiée à lui (n'exagérons rien, quand même !), et il ne permettrait pas à son fils d'abuser de moi (quel vilain mot).

Il nous a fallu du temps, et beaucoup de force de persuasion, pour l'amadouer et l'empêcher de mettre à exécution le plan qu'il avait concocté pendant la nuit : me renvoyer chez ma mère (qui n'était d'ailleurs pas là) à la première occasion, c'est-à-dire par l'avion de 10 heures, via Westerly, Providence et Boston.

Nous l'avions échappé belle.

***

« Tu te rends compte, ai-je dit un peu plus tard à Marek, il ne nous reste qu'une semaine à passer ensemble.

— Tu te rends compte, a-t-il répliqué, nous avons toute une semaine à passer ensemble ! »

***

Et que dire de cette semaine, sinon que nous étions tout le temps ensemble, à repeindre la maison et à nager, à écouter de la musique et à parler, à rire et à nous taire.

Andrzej avait semblé délaisser nos amours pour s'occuper des siennes, ce qui faisait bien notre affaire.

« Pourquoi tu as piqué cette crise, quand il a parlé de Sandra la première fois ?

— Il faut vraiment tout t'expliquer, hein ? Ce n'était pas Sandra qui me dérangeait, c'était Karol. »

Karol qui, il faut bien l'avouer, ne semblait rien comprendre à ce qui s'était passé et qui nous observait à la dérobée, l'air complètement perdu.

Comment avais-je pu me croire amoureuse de lui ?

Sophie, elle, semblait avoir tout compris, et elle s'était découvert une passion subite pour la solitude et les séances de violoncelle interminables.

***

Un beau matin, pendant qu'avec Marek je cherchais des coquillages, j'étais aux prises avec un grave problème : comment désigner Marek ? Mon ami ? Un peu guindé. Mon amoureux ? Complètement dépassé. Mon amant, comme dans les pièces de Racine ? Ça pouvait prêter à confusion. Mon boyfriend ? Beurk. Mon chum ? Ça me faisait trop penser à Johanne Béliveau, qui n'arrête pas de parler de son chum, et qui passe ses hivers à se geler les fesses en le regardant jouer au hockey.

« Tu joues au hockey ? »

Marek m'a lancé un regard interrogateur.

« Tu as un faible pour les joueurs de hockey ? Désolé de te décevoir, mais je ne sais même pas patiner. Tu peux survivre à ce choc ?

— Je vais essayer.

— Sans blague, Cassiopée, pourquoi tu voulais savoir ça ?

— Parce que je ne sais pas comment t'appeler. »

Air surpris de Marek.

« Eh bien ! "Marek", ce ne serait pas si mal. Ou "Auguste". J'ai toujours rêvé de m'appeler Auguste.

— Idiot. »

Je lui ai exposé le problème plus en détail. Il a hoché la tête.

« Je vois. Grave problème. Très grave problème, même. Heureusement que, de mon côté, je l'ai résolu.

— Ah oui ? Et comment tu m'appelles ? »

Les bras au ciel, il a clamé d'un ton théâtral :

« Ma constellation ! »

En m'entendant rire, il a ajouté :

« À moins que tu ne préfères ma *Balaenoptera edeni* chérie, "baleine de Bryde" pour les ignares ? Tu devrais la voir, une beauté ! »

Riant comme des fous, nous avons continué :

« Mon dépotoir préféré.

— Ma tendre libellule.

— Mon ornithorynque à pois.

— Ma tarte aux fraises.

— Mon tour du monde en quatre-vingts jours.

— Ma lunettée favorite.

— Mon moule à gaufres.

— Hé ! Pas d'insultes, veux-tu ! (Zut, il avait lu Tintin, lui aussi.) Ma catapulte dorée.

— Mon coquelicot fragile. »

Après un certain nombre d'amabilités du même genre, Marek a sorti son polonais.

« Moje kochanie.

— Ah non ! Il faut que je comprenne, quand même ! »
Il a cessé de rire. Gravement, sérieusement, il a répété.
« Mon amour. Mon bel amour. »

***

La dernière nuit, nous sommes retournés dans notre coin secret. Cette nuit-là, nous n'avons pas connu les hésitations douloureuses de la semaine précédente, l'affolement de nos corps trop neufs. Chastement assis l'un contre l'autre, nous effleurant seulement parfois des lèvres ou de la main, nous avons veillé en regardant les étoiles, la mer. J'aurais voulu tout graver en moi, la fraîcheur de l'air et le bruit des vagues, la couleur du ciel et chacune des étoiles. Et, par-dessus tout, le goût des lèvres de Marek, la douceur rêche de ses cheveux, le son un peu rocailleux de sa voix, la chaleur de ses mains, le rythme de son cœur. J'aurais besoin de souvenirs, dans la nuit de Montréal.

« Heureusement que tu t'appelles Cassiopée, et pas Andromède ou Bételgeuse. Comme tu es toujours bien visible dans le ciel, je vais pouvoir te regarder toutes les nuits. »

Qui aurait cru qu'un jour je serais aussi reconnaissante à mes parents de m'avoir donné un nom pareil ?

***

C'est là, dans la pâleur de l'aube, que nous nous sommes quittés. Nous ne voulions ni l'un ni l'autre d'adieux bien polis dans un aéroport peuplé d'yeux curieux.

***

J'ai embrassé Sophie, dit au revoir à Karol.
Andrzej m'a conduite à l'aéroport.
« À bientôt, Cassiopée.
— À bientôt. Et… merci. »

***

Et me voici, sagement assise dans l'avion qui me ramène à Montréal. Montréal que j'ai quittée il y a cinq semaines à peine. Il y a si longtemps. Montréal où m'attendent maman, papa, Jean-Claude (oui, il m'a écrit qu'il y serait pour mon retour), Suzie, peut-être ? Et même Jacques. Montréal dont les deux millions d'habitants ne parviendront pas à combler l'absence de Marek.

Marek. Je me sens mieux rien qu'à écrire son nom. Sans rien nous promettre, nous nous sommes tout promis. Les yeux fermés, je rêve à ce qui a été, je rêve à ce qui sera. Je revis les moments fragiles de mon été polonais (vous savez, la Pologne, au large du Rhode Island, quelque part entre Boston et New York...). J'invente les étés à venir.

***

Des bouts d'une chanson de Michel Rivard me viennent à l'esprit. Une chanson qui parle de mer, de tempête, et de baleines en amour. Je n'arrive pas à me rappeler tous les mots, et ça m'agace.

En arrivant à la maison, la première chose que je vais faire, ça va être de l'écouter, cette chanson. Une chanson de mer. *Morze*, en polonais.

L'ÉTÉ DES BALEINES

On s'est connus
On s'est reconnus
On s'est perdus de vue
On s'est r'perdus de vue
On s'est retrouvés
On s'est réchauffés
Puis on s'est séparés

Cyrus Bessiak
Le Tourbillon
(chanson interprétée par Jeanne Moreau dans
le film *Jules et Jim*, de François Truffaut)

CHAPITRE 17

l'hiver nous retire
vers la mémoire

Marie Uguay
Signe et Rumeur

Le 31 décembre. Le dernier jour de l'année. Le jour des bilans et des bonnes résolutions.

Il est vingt heures. Amélie dort déjà, la maison est trop silencieuse, et j'ai quatre longues heures à tuer (bang!) avant le coup de téléphone de Marek.

Alors je reprends mon journal, auquel je n'ai pas touché depuis cinq mois. Depuis mon séjour au bord de la mer. Depuis ce que j'ai appelé mon été polonais.

***

Je suis revenue à Montréal complètement euphorique, débordante d'énergie et d'amour pour Marek.

Les premières semaines, je parlais de lui à tout propos et à tout le monde, et surtout à ma mère et à Jacques, son nouvel amour, que j'ai enfin appris à accepter et même à apprécier. (Heureusement pour moi, d'ailleurs, car Jacques est dans le décor pour longtemps, si je me fie aux derniers développements:

lui et maman se sont mariés il y a cinq jours, le lendemain de Noël, et ils sont présentement en voyage de noces quelque part dans le Sud. Ce qui est drôle, c'est que, de leur côté, papa et Patricia sont eux aussi dans le Sud – mais pas le même – pendant que je garde Amélie, leur fille et ma presque sœur, qui a eu deux ans il y a deux semaines...)

Les premières semaines, donc, je ne pensais qu'à Marek. J'écrivais son nom sur de petits bouts de papier, dans les marges de mes livres, dans mes cahiers. Et je me le répétais à m'en étourdir. Marek, Marek, Marek. En appuyant bien sur la première syllabe et en roulant un peu le *r*. *Ma*rek. Je le répétais, je le savourais, je le roulais longtemps dans ma bouche avant de le laisser tomber, beau, sonore et exotique. Marek.

Mon amour me remplissait, me couvrait, et rien ne pouvait m'atteindre. Ni les reproches de mon père, qui persistait à qualifier de « fugue » mon escapade à New York et qui me trouvait trop jeune pour être amoureuse. Ni les questions indiscrètes que se permettaient certaines personnes de mon entourage. Ni les noires prédictions de ma tante Pauline, qui prend un malin plaisir à déprimer tout le monde et qui m'assommait de ses vérités en forme de proverbes, du style « Loin des yeux, loin du cœur » ou « Amour d'été, amour vite oublié ».

J'étais tellement heureuse que j'ai recommencé l'école avec enthousiasme (!) et que je me suis lancée dans des activités auxquelles je n'aurais même pas osé rêver l'année dernière : le club de lecture, le journal (pas un journal de foyer ou de secondaire IV, non, un journal *d'école*, avec plein de gens que je ne connaissais pas et parmi lesquels, ma foi, je me sens presque à l'aise !)...

***

Fin septembre, mon enthousiasme a commencé à fléchir.

Marek était loin, les journées étaient longues, et moi, j'en avais assez de répondre (ou de ne pas répondre) aux questions de tous ceux qui voulaient savoir ce qui s'était passé avec Marek, ce qui ne s'était pas passé, ce qui allait se passer… Avec détails, de préférence. En fait, ce qu'ils voulaient surtout savoir, c'était si, oui ou non, on avait fait l'amour. Et ça, désolée, mais je n'avais pas du tout envie d'en parler. Pas envie d'expliquer, de justifier, d'excuser… Pas envie, selon les cas, de passer pour une sainte, ou une dévergondée, ou une niaiseuse…

Non, Marek et moi, nous n'avons pas fait l'amour. Pas pour de belles raisons philosophiques ou morales, mais, tout simplement, parce que tout s'est passé très vite, trop vite pour une Cassiopée habituée à prendre son temps, à hésiter, à se poser des questions. Il fallait que je me fasse à l'idée toute neuve d'être en amour, d'être bien avec un garçon, de me sentir proche et en confiance. Disons que j'ai eu besoin de me dénuder la tête et le cœur avant de dénuder le restant…

C'est comme ça. Je ne dis pas que je ne le regrette pas parfois, des jours comme aujourd'hui, par exemple, où Marek me semble affreusement lointain et inaccessible. Ces jours-là, je me trouve stupide de ne pas « l'avoir fait ». Je me dis que je ne suis qu'une peureuse, une lâche qui refuse de voir la réalité en face et qui se rassure avec de belles excuses qui ne trompent personne, sauf elle-même.

Les autres jours (qui sont quand même les plus nombreux, heureusement !), je suis bien contente que les choses se soient passées comme elles se sont passées, et j'attends avec un peu de crainte et beaucoup d'espoir le jour où, dans des circonstances favorables, Marek et moi…

C'est Suzie qui a ri quand je lui ai parlé de mes « circonstances favorables ».

Elle a ri, oui, mais pas méchamment. Je ne sais pas si ça va durer, mais on dirait qu'on s'est retrouvées, toutes les deux, après nos chicanes de l'année dernière. Je ne sais pas si c'est encore ma meilleure amie, mais on peut de nouveau se parler et se comprendre. Ce qui ne l'empêche pas de rire de moi. De toute façon, Suzie ne serait pas Suzie si elle ne riait pas un peu de moi et de mes idées dépassées, comme elle dit. Elle pense que j'ai été marquée par mes lectures de jeunesse, autrement dit par les livres de ma mère, qui datent d'il y a trente ans et où tout est beau, intense et très pur.

« Ça vous prend quoi, au juste ? m'a-t-elle susurré avec son air faussement angélique. Un lit à baldaquin, une île déserte, un petit air de violon, des draps noirs semés d'étoiles ? Ou encore une voix tombée du ciel qui vous dit : "Ça y est…" ? »

(C'est qu'elle est drôle, Suzie, quand elle s'y met…)

***

J'ai donc fini par en avoir assez des questions, des « Oh ! », des « Ah ! », des « Comme ça, t'es en amour… »

Et, peu à peu, mon rôle d'amoureuse esseulée s'est aussi mis à me peser.

Marek et moi, on s'écrit, oui, mais des lettres (même nombreuses et enflammées), ça ne remplace pas une présence, des mains, une voix, un sourire…

Quant au téléphone, c'est encore pire. Trop court, frustrant, presque banal (« Comment ça va ? » « Ça va. Et toi ? » « Ça va. »). Et cher. Alors on a décidé de réserver le téléphone aux occasions vraiment spéciales. Par exemple, ce soir, à minuit, pour la fin de cette année et le début de l'autre.

Il reste encore deux heures à passer, avant ce fameux appel, et je commence à trouver le temps long. Je commence aussi à regretter notre décision de ne pas nous voir pendant les vacances de Noël. Sur le coup, quand Marek a proposé ça, j'ai trouvé que c'était une bonne idée. Il faut dire que l'idée en question venait après notre rencontre ratée du mois d'octobre, et que j'étais prête à tout pour éviter que ne se reproduise un pareil désastre.

Ça avait pourtant bien commencé, cette fin de semaine où je me suis rendue à New York pour assister au premier concert professionnel de Sophie.

J'étais folle de joie de revoir enfin les Kupczynski, mes Polonais préférés (et surtout Marek, mon Kupczynski préféré).

Le trajet en avion avait été rapide et agréable. Le concert avait été un triomphe. Jusque-là, tout allait pour le mieux.

C'est le lendemain que ça s'est gâté. Quand, après le concert, après l'euphorie du triomphe et des commentaires élogieux, tout le monde s'est retrouvé à plat. Désœuvré, désorienté, sans énergie et sans goût pour rien. Un peu comme au début des vacances, après le rush des examens, quand on se dit qu'on devrait être heureux, plein d'enthousiasme et de projets, mais qu'on se sent juste vidé. Vidé et vide. Amorphe, apathique, veule,.. (complétez la ligne avec le plus de synonymes possible).

J'aurais voulu passer une partie de la fin de semaine seule avec Marek, loin des autres, mais, finalement, ça ne s'est pas fait. J'ai eu l'impression qu'il n'en avait pas vraiment envie, et je n'ai pas insisté. J'ai fait une petite entrevue avec Sophie pour le journal de l'école, j'ai tourné en rond dans la maison de la rue Ovington, j'ai vaguement participé aux vagues conversations qui naissaient de temps en temps avant de finir en queue de poisson, j'ai grignoté des tas de cochonneries. Et, le soir venu, j'ai pris avec soulagement l'avion pour Montréal.

Quoi ? Moi, soulagée de quitter les Kupczynski ? Soulagée de m'éloigner de Marek ? Ce n'était pas possible !

Mais qu'est-ce qui s'était passé ? Pourquoi cette froideur de la part de Marek ? Qu'est-ce que j'avais fait, qu'est-ce que j'avais dit pour lui déplaire ? Qu'est-ce que j'aurais pu faire pour arranger les choses ?

J'ai passé une semaine misérable, à ressasser ces questions et à me demander si la magie de l'été n'avait été que ça, une magie, un rêve, un beau rêve qu'il valait mieux ne pas tenter de prolonger. À me demander si, finalement, ma tante Pauline n'avait pas raison… « Amour d'été, amour vite oublié. »

Et puis la lettre de Marek est arrivée.

Je voudrais te dire de tout effacer, mais je sais bien qu'on n'efface rien. Alors je vais essayer d'expliquer. Comme si on pouvait tout expliquer…

Le souvenir d'Hélène, qui s'est collé à nous tout le week-end, obsédant, exigeant, et tellement triste. La vie est peut-être injuste, Cass, mais la mort l'est encore plus. Injuste et mesquine. Jamais je ne m'en étais rendu compte à ce point.

Je ne t'ai pas beaucoup parlé d'Hélène, sauf la toute première fois, dans l'île, dans ton coin secret. Tu te souviens ? J'ai du mal à en parler. J'ai mal d'en parler. Même cette façon que j'ai de l'appeler « Hélène ». Jamais je ne l'ai appelée comme ça, avant… Je l'appelais « maman ». Je parlais d'elle en disant « ma mère ». En mourant, elle est devenue « Hélène ». Impersonnelle. Détachée. Quand je dis « Hélène », j'ai moins peur d'éclater en sanglots que si je disais « ma mère ». Ou « maman ». Maman. Tu vois, rien que de l'écrire…

Alors il y avait Hélène. Hélène absente. Hélène qui n'aura jamais vu Sophie triompher sur une scène.

Et puis il y avait toi et moi. Et les autres. Les autres, surtout. Les autres qui m'encombraient. Les autres qui ne semblaient être là que pour surveiller nos faits et gestes. J'aurais voulu t'avoir pour moi tout seul, et je ne t'avais pas pour moi tout seul. Toutes les minutes que tu consacrais aux autres, à Sophie, à Andrzej, à ce qui s'appelle la vie familiale et sociale, j'avais l'impression qu'elles m'étaient volées. Et je t'en ai voulu, même si tu n'y étais pour rien.

Avant ce week-end, je m'étais dit qu'on pourrait se voir pendant les vacances de Noël. Mais ça ne m'intéresse plus. Je ne veux plus de ces rencontres étriquées, de ces minutes d'intimité grugées ici et là. Je ne veux pas qu'on en soit réduits à se peloter au cinéma ou à ne pouvoir se parler, vraiment se parler, qu'attablés devant deux Big Mac.

J'ai donc une proposition à te faire (malhonnête, comme tu vas le voir). On ne se voit pas avant l'été (je sais, pour moi aussi c'est long, neuf mois). Et, à l'été, on se voit, mais alors là pour de bon. Deux semaines, un mois, deux mois, le plus longtemps possible, mais seuls. Toi et moi. En tête à tête. Sam na sam, *comme on dit en polonais. Il arrivera ce qu'il arrivera (et que je voudrais bien qu'il arrive – je t'avais dit que ma proposition était malhonnête).*

Qu'en penses-tu ? Réponds-moi vite, avant que je me transforme en bête furieuse, folle de rage, de jalousie et de désirs non assouvis.

Regarde bien autour de toi. Il n'y a personne ? Personne, personne ? Tu en es sûre ? Alors je t'embrasse, Cass (ça rime !). Très lentement.

Le soulagement, oh ! le soulagement que m'a apporté cette lettre ! J'en ai ri et pleuré en même temps. Et je me suis empressée d'acquiescer à sa proposition.

Mais, ce soir, je nous trouve juste ridicules d'avoir ainsi repoussé l'occasion de nous voir. Ce soir, je suis juste loin, et seule, et triste.

J'en ai assez d'être à Montréal quand Marek est à New York. J'en ai assez de notre amour par correspondance, de ces mots que nous nous lançons à défaut de nous toucher, de ces mots auxquels il manque une voix, un sourire, un corps. J'en ai assez d'attendre.

Je ne fais que ça, attendre. Attendre le téléphone de Marek, attendre les lettres de Marek, attendre l'été pour voir Marek.

C'est comme si ma vie était coupée en deux. D'un côté, un grand bloc gris et triste. De l'autre, une toute petite tranche de couleurs et de vie. Comme si j'avais été mise à l'écart en attendant l'été. En attendant la vie. Mais je ne veux pas vivre « en attendant » !

Quand l'absence de Marek se fait ainsi aiguë, lourde et perçante à la fois, quand je n'en peux plus de silence et de caresses non partagées, je me sens devenir... pas folle, non, quand même pas, mais incohérente, un peu floue, un peu perdue. Il me manque le poids d'une main sur ma nuque, le poids d'un regard sur moi. Alors, le soir, dans mon lit, j'essaie de me prouver que j'ai encore un corps. Je touche mon visage, mes hanches, mes seins. Je me caresse doucement, en essayant d'imaginer que c'est Marek qui est là. Mais je suis toute seule, et je finis toujours par me retrouver encore plus seule, plus triste, et un peu honteuse de ce plaisir que j'ai essayé de recréer sans Marek et qui me laisse toujours sur ma faim.

CHAPITRE 18

J'ai eu longtemps un visage inutile,
Mais maintenant
J'ai un visage pour être aimé,
J'ai un visage pour être heureux.

C'est maman qui, pour Noël, m'a donné des livres de Paul Éluard. Dans sa carte, elle a écrit : « Les poèmes d'Éluard sont beaux partout et en tout temps, mais peut-être encore plus quand on a quinze ans et qu'on est amoureuse. Joyeux Noël, ma grande, et que l'année qui vient soit aussi belle que tes rêves les plus beaux. »

Et la nuit dernière, après le téléphone de Marek, au plus profond de cet état bizarre dans lequel m'avait plongée ce téléphone (désarroi, nostalgie, sentiment de proximité, goût d'une plus grande proximité), j'ai commencé à les feuilleter, ces livres, d'abord distraitement, puis avec une émotion un peu fiévreuse.

Cet homme-là a su mettre des mots (et quels mots !) sur ce que je ressens. Il a su dire toutes ces choses que je comprends mal et qui me mettent tout à l'envers.

« J'ai eu longtemps un visage inutile. » Voilà ce que j'aurais pu dire, hier, quand je disais que, loin de Marek, je me sens devenir floue, incohérente. J'aurais aussi pu dire inconsistante ou invisible. « Un visage inutile. » C'est exactement ça.

Et les textes d'Éluard sont pleins de ces phrases qui vont droit au cœur, droit au ventre. Celle-ci, par exemple : « J'étais loin j'avais faim j'avais soif d'un contact.» Ou encore ces lignes, qui parlent d'attente, et qui en parlent comme de mon attente à moi, mon attente de Marek si lointain:

Le front aux vitres comme font les veilleurs de chagrin
Je te cherche par-delà l'attente
Par-delà moi-même
Et je ne sais plus tant je t'aime
Lequel de nous deux est absent

Ce qui est bizarre, c'est que ces poèmes, qui m'ancrent pourtant davantage dans une espèce d'alanguissement amoureux et me montent à la tête comme le champagne de mon anniversaire, ces poèmes réussissent en même temps à me remonter le moral, à me redonner espoir, à me donner le goût de rire.

Si Éluard a écrit de tels poèmes, c'est donc que ça existe, l'amour, l'amour fou et beau et fatal, ailleurs que dans la tête des filles de quinze ans. Parfois, j'ai l'impression qu'il faut être bien innocente (dans le sens de « un peu épaisse ») pour croire encore à l'amour.

Éluard me rassure.

Et, rassurée, j'ai écrit une belle grande lettre à Marek. Une lettre bourrée de citations d'Éluard et de déclarations passionnées. Une lettre de milieu de nuit et de début d'année.

***

J'ai l'impression d'être dans un cocon hors du temps et de l'espace, depuis que je garde Amélie. C'est comme si l'univers tout entier n'était plus que cette petite bonne femme qui sourit, mange, rit, crie, dort, joue et se réveille toujours trop tôt. Nous sommes ensemble tout le temps, nous ne voyons personne d'autre. Et la neige qui n'arrête pas de tomber nous isole encore plus du monde extérieur.

Peut-être qu'il n'y a plus de monde extérieur. Peut-être qu'il n'y a plus que nous deux dans tout l'univers et que nous ne le savons pas.

***

Je ne sais pas si j'ai hâte que se terminent ces dix jours avec Amélie ou si, au contraire, je voudrais qu'ils ne finissent jamais.

Les journées sont trop courtes, remplies de tous ces gestes que réclame Amélie.

Je ne me retrouve que le soir, quand elle dort et que la maison n'est plus que silence. C'est bizarre, être chez mon père sans être chez moi. J'ai l'impression d'être en visite. J'ose à peine prendre mes aises, comme on dit, m'allonger ou m'étaler par terre pour lire ou pour écouter de la musique. J'ai toujours l'impression que quelqu'un pourrait entrer et me surprendre.

La semaine dernière, au début de ma période de gardiennage, je ne savais pas trop quoi faire de mes soirées. Je tournais en rond, j'ouvrais et je fermais la télévision, j'ouvrais et je fermais la radio. Et je finissais toujours par écrire à Marek. Des lettres longues, échevelées, un peu désespérées.

J'écris toujours à Marek, mais, depuis quelques jours, je crois que mes lettres sont plus sereines. Moins déprimantes, en tout cas. C'est peut-être dû à Éluard. Peut-être aussi à moi, qui m'habitue lentement au rythme imposé par Amélie. Je m'impatiente moins qu'au début, on dirait, je crie moins. Oui, à ma grande honte, je dois avouer que j'ai crié après Amélie à quelques reprises. Pour des pipis qui n'avaient pas su attendre, des jus renversés, des siestes trop courtes ou des contradictions trop contradictoires… Je lui ai même lancé un de ces « Attends d'avoir mon âge ! » qui me hérissent tellement quand les adultes me les servent à propos de tout et de rien… Pauvre Amélie, elle ne méritait quand même pas ça !

***

C'est dans deux jours que reviennent papa et Patricia, dans deux jours que se termine ma réclusion avec Amélie, et je ne sais toujours pas si j'ai aimé ça.

Ce que je sais, par contre, c'est que j'ai recommencé à m'ennuyer de Marek et à rêver à nos retrouvailles de l'été prochain. Dans six mois. (Pourquoi pas six ans ou six siècles…)

CHAPITRE

19

J'ai survécu à Amélie.

J'ai survécu au retour de mes parents accompagnés chacun de leur nouvel amour, à leur bonne humeur bruyante et à leur bronzage à toute épreuve.

J'ai survécu au retour en classe.

Et je pensais bien que c'était ce que j'allais faire jusqu'à l'été, survivre, quand, par petites doses, sans que je me rende vraiment compte de ce qui se passait, je me suis remise à vivre. À vivre « pour de vrai ».

Un peu grâce à Éluard, qui continue de m'exalter et dont je me soûle (verbalement et poétiquement) à la moindre occasion.

Mais surtout grâce à la gang… et aux baleines !

***

La gang, c'est la gang du journal.

Par curiosité, je viens de regarder dans le *Petit Robert* au mot « gang »… et je n'ai pas du tout trouvé ce à quoi je m'attendais !

GANG [**gãg**]. *n.m.* (1837, Mérimée, au sens de « bande, clan », sens vivant au Québec sous la forme *gagne*, n.f. ; repris XXe ; mot angl. « équipe »). Bande organisée, association de malfaiteurs (V. **Gangster**). « *la morale du gang* » (Camus). HOM. *Gangue.*

Moi qui croyais faire un anglicisme, voilà que je parle comme Mérimée, genre en moins ! Ce que je trouve bizarre, quand même, c'est qu'on dise que ce mot est utilisé au Québec sous la forme « gagne ». Le genre est là, bien sûr, et la prononciation... mais jamais je n'aurais l'idée d'écrire « la gagne ». De toute façon, personne ne comprendrait, moi pas plus que les autres.

Donc, la gang. Il ne s'agit de rien d'officiel, juste de quelques « collaborateurs/trices » du journal, six ou sept, pas plus, qui, à un moment donné (le 15 janvier, très précisément), ont commencé à se tenir ensemble en dehors des réunions pour le journal. On parle, on rit, on va au cinéma, au Dunkin' Donuts ou dans un café près de chez Samuel où on discute pendant des heures en buvant lentement nos bols de chocolat chaud... ou presque froid. Des rencontres dans un café ! De quoi se prendre pour des intellectuels français (à part que ça m'étonnerait que les intellectuels français boivent du lait au chocolat chaud – leur genre, ce serait plutôt les cafés imbuvables ou les petits verres de gros rouge...). Ça n'a peut-être rien de bien exceptionnel, tout ça, c'est peut-être même banal, mais moi, c'est la première fois que je fais partie d'une bande d'amis (ou d'une gang)... et j'aime ça.

Il y a Suzie (qui, dans le journal, parle de santé mentale et physique), il y a François (politique), il y a Karine et Samuel (respectivement vie étudiante et sciences), il y a Miguel (sport), et il y a moi (livres). Plus quelques « occasionnels » : Ulric, Jasmine, Sonia...

Ce que j'aime, c'est qu'on peut passer des discussions les plus sérieuses aux fous rires les plus fous, des films d'horreur plutôt minables aux classiques du cinéma français ou tchèque, des frites graisseuses chères à François aux plats ultranaturels concoctés par Suzie (ou par la mère de Suzie).

Je me sens bien avec la gang. Je ris, je ris même beaucoup, et j'ai l'impression que ça ne m'était pas arrivé depuis longtemps. Ça me change de toutes ces soirées et de toutes ces fins de semaine passées à broyer du noir.

En fait, entre la gang, l'école, les devoirs (que je néglige un peu, ces temps-ci, mais qui continuent quand même d'exister), le gardiennage (essentiel, si je veux avoir les moyens de partir en vacances l'été prochain) et ma correspondance avec Marek... je n'ai même plus le temps de broyer du noir !

***

C'est de la gang qu'est venue l'idée des baleines.

Tout le monde était au courant de mon histoire avec Marek, bien sûr. Tout le monde savait que nous devions passer nos vacances ensemble, l'été prochain. Et tout le monde savait aussi que nous n'avions pas encore décidé où nous allions les passer, ces vacances.

Aussi chacun a-t-il décidé d'y aller de sa petite suggestion.

« Pourquoi pas la côte ouest ? » (Karine, rêveuse)

« Les îles de la Madeleine ! » (Suzie, péremptoire)

« Les coins et les recoins de Montréal ou de New York... »

Ça, ça ne pouvait venir que de François, et, par « coins et recoins », il voulait sans doute dire les ruelles les plus sales et les trous les plus miteux. Je ne sais pas trop pourquoi, mais ce gars-là est fasciné par les ruelles. Et plus elles sont sales, ces ruelles, plus elles sont déglinguées et peuplées de chats faméliques, d'enfants criards et d'individus louches, plus il les aime et plus il les photographie. En noir et blanc, en couleurs, sous tous les angles et par tous les temps. Ça donne des photos... disons... étonnantes. Personnellement, je n'arrive pas à décider si je les trouve géniales ou complètement ratées. Tout comme je n'arrive pas à me faire une idée nette de François, qui semble foncer dans toutes les directions en même temps, avec ses cheveux en bataille, ses gestes trop larges, ses éclats inattendus.

Ce jour-là, son éclat, il l'a réservé à la campagne, à ce qu'il a appelé, plutôt comiquement d'ailleurs, « cette profusion de joliesse facile ».

« J'haïs ça, les fleurs et les petits oiseaux », a-t-il conclu d'un air dégoûté.

Tout le monde lui est tombé dessus en même temps.

« La campagne, c'est pas juste les fleurs et les petits oiseaux...

— Et même si ça l'était, ce n'est quand même pas aussi... aussi cucul que tu sembles vouloir nous le faire croire.

— La campagne, la nature, c'est aussi l'espace...

— ... l'immensité...

— ... les étendues sauvages...

— ... l'infiniment grand et l'infiniment petit... »

Ça faisait un joli brouhaha, toutes ces voix qui s'exclamaient pour essayer de convaincre François.

« Et la mer ? ai-je fini par crier pour couvrir les autres voix. Qu'est-ce que tu penses de la mer ? »

François a levé les yeux au ciel.

« La mer, j'y suis allé une fois, à Old Orchard, et c'était pire que tout.

— Tu devrais essayer ailleurs, au moins une fois. La vraie mer, nue, sauvage, changeante. Un vrai bord de mer avec du vent, des falaises, des algues. Je suis sûre que tu aimerais ça. »

François m'a fait une belle grimace.

« Pourquoi pas, un jour ? Je suis sûr que tu arriverais à me convaincre... »

À ce moment, Samuel a poussé un grand cri.

« J'ai trouvé !

— On dit Eurêka !, dans ces cas-là, a fait remarquer Suzie.

— Tu as trouvé quoi ? ont plutôt voulu savoir tous les autres.

— Où Cassiopée et Marek vont aller.

— Où ça ? » ai-je demandé prudemment.

Avant de répondre, Samuel a fait des tas de préambules et d'avant-propos.

« Vous aimez la mer, *right* ? Vous aimez les endroits plutôt déserts. Vous ne voulez pas aller trop loin. Il ne faut pas que ça vous coûte trop cher. Et… (Ici, long silence plein de suspense.) Et… et… et… Marek est fou des baleines !

— Oui.

— Alors, Longue-Pointe. »

Et il s'est arrêté là.

« Quoi, Longue-Pointe ?

— Longue-Pointe, sur la Côte-Nord, où il y a un centre de recherche sur les baleines. Des amis de ma mère sont allés y faire un stage, l'année dernière, et ils ont trouvé ça génial. »

Moi aussi, je trouvais ça génial, mais je voulais avoir quelques précisions avant de m'emballer vraiment.

« Un stage ?

— Oui. Écoute, je vais aux renseignements et je t'en reparle. O.K. ?

— O.K. »

Deux jours après, Samuel est venu me trouver à la bibliothèque et il m'a agité un dépliant sous le nez.

« Voilà, mam'zelle ! Tout est là. Il paraît qu'on peut participer activement aux recherches, recueillir des données, faire des observations, et tout. En fait, c'est tellement attirant que je me demande si Karine et moi, on ne va pas aller y faire un tour, nous aussi… »

J'ai dû avoir un air horrifié parce que Samuel a éclaté de rire.

« Pas l'été prochain, rassure-toi. Peut-être le suivant… »

J'ai respiré.

« Bon, c'est bien beau, tout ça, les recherches et l'avancement de la science, mais… penses-tu que Marek et moi, on pourrait y participer ? On n'est pas diplômés en sciences ou en biologie marine, nous. On n'est même pas des adultes, au cas où t'aurais pas remarqué. Marek va avoir dix-huit ans l'été prochain, moi, seize, et on serait sûrement intéressés à participer à tout ça, mais on n'a pas grand-chose à offrir, à part notre bonne volonté… »

Avec un grand sourire, Samuel m'a tendu son dépliant.

« La meilleure façon de savoir si vous pouvez y aller, c'est encore de le demander aux responsables du centre, non ? »

Oui.

J'ai donc téléphoné au numéro qui apparaissait dans le dépliant et j'ai demandé à parler à Richard Sears ou à Martine Bérubé, de la Station de recherche des îles Mingan (j'ai même failli ajouter « inc. », pour être sûre de parler aux bonnes personnes).

« Je suis Martine Bérubé, a dit la voix au bout du fil. Est-ce que je peux vous aider ? »

La voix était jeune, douce, sympathique. Ça m'a donné confiance, et aussi le courage de poser toutes mes questions. La durée et le coût des stages, les conditions d'inscription (âge, connaissances ou expérience préalables...), les modalités d'inscription.

Martine Bérubé a répondu avec gentillesse à mes questions. Non, il n'était pas nécessaire de s'y connaître en baleines pour participer aux stages, oui, on pouvait y participer à l'âge qu'on avait. Enfin, les coûts étaient les suivants...

Aïe ! ce n'était pas donné, mais ce devait être faisable. Oui, avec un peu d'efforts et beaucoup d'enfants à garder avant l'été, ce devait être faisable.

***

Exceptionnellement, je n'ai pas écrit à Marek pour lui parler de tout ça. Je lui ai téléphoné (après tout, me suis-je dit, c'est une grande occasion). Et mon téléphone commençait par un « YAOUH !!! » tonitruant.

CHAPITRE

20

Question : S'il y a quelque chose comme 1125 kilomètres entre Montréal et Havre-Saint-Pierre (sur la Côte-Nord), et que Longue-Pointe est à 46 kilomètres avant Havre-Saint-Pierre, quelle est la distance entre Montréal et Longue-Pointe ?

Je n'ai pas effectué le calcul très précisément, mais, quelle que soit la façon d'aborder le problème, le résultat est toujours le même : énorme. Surtout pour quelqu'un qui s'était mis en tête de couvrir cette distance à bicyclette.

Avouez que le projet était intéressant : suivre le Saint-Laurent jusqu'à la Station de recherche des îles Mingan, vivre au rythme du fleuve pendant des semaines, découvrir peu à peu ses nombreux visages, ses tours, ses détours et ses humeurs. Mais 1100 kilomètres…

Alors, calculatrice en main, j'ai essayé différentes combinaisons :

— bicycler jusqu'à Québec (250 km) et faire le reste du chemin en autobus ;

— aller de Montréal à Québec en autobus et faire le reste à bicyclette (850 km) ;

— nous rendre à Sept-Îles en avion avant de continuer à bicyclette jusqu'à Longue-Pointe (175 km) ;

— complètement oublier la bicyclette et partager le trajet entre l'avion et l'autobus, ou n'y aller qu'en autobus, ou…

Mais je n'avais pas le goût d'oublier complètement la bicyclette. D'abord parce que ça reste le moyen de transport le moins cher. Ensuite parce que c'est aussi le plus sympathique. Ça ne pollue pas, ça ne dérange personne, ça ne risque pas de tuer quelques malheureux piétons en chemin…

Sans être une vraie de vraie fanatique du vélo, j'aime ça, rouler à bicyclette, et je m'imagine assez bien, avec Marek, en train de pédaler joyeusement au soleil. Ou sous une pluie battante (évidemment, certaines images sont moins attirantes que d'autres).

Je veux donc garder la bicyclette, au moins en partie. Et le camping, le plus souvent possible. (Voir, plus haut, les raisons pour choisir la bicyclette. En général, ça vaut aussi pour le camping.)

J'ai un peu parlé de ça à Suzie, qui a haussé des sourcils étonnés.

« Te voilà rendue sportive, à présent ? Plein air, exercice, et tout ? Ça a de quoi surprendre… »

Il faut dire que, jusqu'à maintenant, c'est une tendance qui était restée bien discrète, même pour moi.

« N'exagère pas, quand même. Je ne pars pas à la conquête de l'Everest !

— Onze cents kilomètres à bicyclette, dont un certain nombre en terrain plutôt montagneux, merci – je ne sais pas si tu es déjà allée dans Charlevoix, mais ce n'est pas vraiment ce qu'on peut appeler le calme plat –, le tout agrémenté de camping et de vie à la dure, et tu trouves que ce n'est pas vraiment sportif ! Sais-tu allumer un feu de camp, au moins ?

— Écoute, on n'est plus à l'époque où il fallait frotter des roches ensemble, ou faire tourner un bout de bois bien sec vite vite vite pour faire jaillir des étincelles…

— Non, mais il faut savoir frotter une allumette ou actionner convenablement un briquet. »

Ça n'a l'air de rien, mais Suzie venait de toucher là un point sensible. Je suis nulle, que dis-je, plus que nulle pour tout ce qui s'appelle allumettes et briquets.

« Évidemment, a continué Suzie, tu vas me dire que tu comptes sur le beau Marek pour s'occuper de ça à ta place. La faible femme s'appuyant sur l'homme fort. Image ô combien romantique et ô combien connue!

— Écoute, Suzie, tu ne vas quand même pas en faire une question de fuite de responsabilités ou de stéréotypes sexistes. Ce n'est quand même pas *si* grave de ne pas savoir faire un feu…

— C'est dans les petites choses que se perdent ou se gagnent les grandes batailles», a déclaré sentencieusement ma chère et fidèle amie avant de s'éloigner en hochant la tête d'un air désespéré.

Elle m'énerve, Suzie. Surtout quand elle a raison.

***

J'ai fait venir, du ministère du Tourisme, des brochures sur les régions qui se trouvent entre Montréal et Longue-Pointe, et, chaque soir, je passe des heures à feuilleter tout ça, à prendre des notes et à faire des listes. Des listes de choses à voir, de choses à faire, de choses à acheter, de choses à emprunter…

J'aime ça, dresser des listes. Je dirais même que je suis une grande dresseuse de listes. Une dresseuse maniaque. (Ça ferait un bon titre de livre, *La Dresseuse maniaque*. Mieux encore, *La Dresseuse enragée*. Les gens se précipiteraient pour l'acheter, persuadés d'y trouver des bêtes féroces et une dresseuse plus féroce encore – ou alors des histoires sadomasochistes réservées aux 18 ans et plus. Et tout ce qu'ils trouveraient, c'est une paisible vieille dame, toute timide et ratatinée, qui passerait ses journées à dresser des listes. Des listes de conserves, des listes de fleurs, des listes de gens célèbres, des listes d'assassins, des listes de capitales sud-américaines, des listes de poètes, des listes de parties du corps, des listes de conseils aux nouvelles mamans, des listes de listes… Je ne garantis pas que ça ferait un best-seller, mais ce serait amusant à écrire.)

Bref, je suis plongée jusqu'au cou dans les préparatifs du voyage. Et je m'amuse beaucoup.

***

« Qu'est-ce que tu penses de la table ronde ? »

La question venait de François, elle s'adressait à moi et elle surgissait au beau milieu d'une discussion sur un film que nous étions tous allés voir la veille.

« La table ronde, quelle table ronde ? » ai-je demandé, un peu perdue.

En fait de table ronde, je ne pouvais penser qu'à celle des chevaliers du même nom et à la petite table que ma mère a rapportée de chez un antiquaire et qu'on n'a pas encore réussi à caser quelque part.

« Comment ça, quelle table ronde ? !!! C'est pourtant toi qui es censée t'intéresser à la Pologne, non ? »

Petit déclic dans mon esprit. La table ronde, n'est-ce pas comme ça qu'on appelle les négociations qui ont lieu en ce moment en Pologne et qui devraient entraîner un début de démocratisation pour le pays ?

«Eh bien, ai-je fini par répondre, c'est, euh, c'est merveilleux.

— Merveilleux ? a répété François en fronçant les sourcils. C'est sûr que c'est merveilleux en théorie... Mais, si je me fie à certains articles du *Devoir*, c'est loin d'être aussi beau que ça en a l'air. Le moral des gens est à zéro, les problèmes économiques sont écrasants, et certaines personnes croient qu'il ne faut pas attendre grand-chose de ces négociations "historiques"... Tes amis polonais, eux, comment ils voient ça ? »

À vrai dire, je n'ai pas la moindre idée de ce que mes amis polonais pensent de la situation en Pologne. Mes lettres avec Marek sont beaucoup plus des lettres d'amour que des lettres de politique, et on n'a jamais abordé ce sujet-là. D'ailleurs, j'avoue que, dans l'ensemble, mon idée de la Pologne est assez vague. Une espèce de mélange romantique et nostalgique qui inclut, pêle-mêle et sans trop de détails, la Deuxième Guerre mondiale et le ghetto de Varsovie, l'atmosphère révolutionnaire d'il y a quelques années et Solidarité, des poèmes satiriques que Marek m'a envoyés (du genre « Le mal, lui aussi, ne nous veut que du bien. »), l'image d'un peuple souvent humilié, souvent écartelé, mais qui toujours se relève… Mais ce qui se passe maintenant en Pologne, ce qui s'y passe vraiment, je n'en sais rien. Peut-être parce que mes amis polonais vivent à New York et non à Varsovie, à Cracovie ou à Gdansk.

Un peu ennuyée, j'ai répondu à François que je ne savais pas ce que mes amis pensaient de la situation, mais que j'allais le leur demander, si ça pouvait lui faire plaisir.

« Mais… de quoi vous parlez, si vous ne parlez pas de ça ? »

D'Éluard, d'états d'âme et de bicyclette, ai-je eu envie de répondre, mais je me suis contentée de dire qu'on parlait de toutes sortes de choses.

« Tu sais, ai-je ajouté, ce n'est pas tout le monde qui se passionne autant que toi pour la politique. »

C'est vrai qu'il s'intéresse beaucoup à la politique, François. Il sait toujours tout ce qui se passe dans le monde et, dans le journal, c'est lui qui couvre la scène internationale. Dans le premier numéro, il a parlé de l'Afrique du Sud et d'Amnistie Internationale (le titre de son article était « Le show, c'est bien beau… mais après ? »). Dans le deuxième, il a parlé du Chili et de l'état du français au Québec, lois 178, 101 et compagnie. Et j'ai la vague impression que, dans le troisième, il va parler de la Pologne.

« De la Pologne et de quoi d'autre ? » lui ai-je demandé d'un ton légèrement agressif. Je me rends compte que je lui en veux de parler de « ma » Pologne. Peut-être aussi que je lui en veux d'en savoir plus long que moi là-dessus, ou d'y réfléchir plus sérieusement.

« Quoi d'autre quoi ?

— Dans le prochain numéro, tu vas parler de la Pologne et de quoi d'autre ?

— De dénatalité, d'immigration… »

De sujets chauds, quoi.

***

Je relis ce que j'ai écrit l'autre jour, et j'ai bien peur d'avoir donné une idée fausse de François. Il n'est pas plate, lugubre et sérieux comme un pape ou comme un éditorialiste.

En fait, avant de lire ses articles et de le connaître mieux grâce à la gang, je l'aurais plutôt classé parmi les clowns, les boute-en-train. Parce qu'il rit beaucoup. Parce qu'il parle beaucoup. Parce qu'il fait des jeux de mots débiles et des grimaces plus débiles encore. Parce qu'il s'empêtre dans ses mots, dans ses gestes, dans ses grands bras et dans ses grands pieds. Et parce qu'il a un peu une allure de clown, avec sa tignasse rousse en tire-bouchon, ses taches de rousseur et sa silhouette immense. Je me disais donc que c'était un clown. Drôle, léger et superficiel.

Maintenant que je le connais mieux, je sais surtout qu'il échappe aux catégories. Oui, il peut être drôle, oui, il parle beaucoup, oui, il fait souvent le clown, mais pas toujours, et, surtout, non, il n'est pas superficiel. Il est souvent grave, intense même, et prêt à se battre pour des tas de causes perdues.

Un dernier détail : il est en secondaire III et, quand il ne grimace pas, il est beau. Très beau, même, mais on dirait qu'il fait tout pour que personne ne s'en rende compte.

***

« Il a raison, ton copain, m'écrit Marek. Ce n'est pas tout le monde qui voit ces négociations comme un cadeau du ciel… Il y en a beaucoup qui parlent de récupération et de coup de grâce pour Solidarność. »

Et il continue dans cette veine, citant Andrzej (son père), des amis d'Andrzej, et Jadwiga Staniszkis, une sociologue très connue, semble-t-il, mais dont moi j'entendais parler pour la première fois (évidemment).

J'ai transmis ses commentaires à François, qui n'a rien dit (pour une fois), mais qui a hoché la tête.

« Tu dois être content, ai-je dit. Les vrais de vrais Polonais te donnent raison. »

Il m'a fait une grimace toute croche et un peu triste.

« Tu sais, dans ce cas-là, j'aurais préféré avoir tort. »

***

J'ai pris la résolution de me tenir au courant de ce qui se passe dans le monde.

Le problème, c'est que ce n'est pas la première fois que je prends cette résolution et qu'en général il ne faut pas plus de deux ou trois semaines pour que j'oublie tout et que je retrouve mon ignorance béate (et une indifférence dont j'ai honte quand j'y pense).

D'ailleurs, me tenir au courant, si je ne suis pas prête à agir, ça sert à quoi ?

J'aurais le goût de faire quelque chose, mais je ne sais pas quoi. J'aurais le goût de rendre le monde un peu meilleur, un peu plus vivable, mais je ne sais pas comment.

Et puis, comment choisir entre les pluies acides, les réfugiés politiques, la langue française, les prisonniers d'opinion, les bélugas, les enfants qui meurent de faim ou l'analphabétisme ?

J'aurais tendance à avoir de bien hautes et bien nobles pensées, mais ça ne va jamais plus loin. Et même… Et même, si un robineux m'approche et me demande vingt-cinq cents, j'ai toujours un petit mouvement de recul. Je le lui donne, son vingt-cinq cents, mais plutôt pour me débarrasser, pour ne plus le voir, pour ne pas me sentir coupable…

Je suis quoi, au juste ?

Juste assez sensibilisée pour avoir mauvaise conscience, mais pas assez courageuse pour faire quelque chose ? Pas assez courageuse, ou trop paresseuse, ou égoïste, ou *wishy-washy*, comme Charlie Brown…

Je ne sais pas au juste ce que je suis, mais ce que je sais, c'est que je n'aime pas beaucoup ça.

Bonne nuit, *wishy-washy*.

CHAPITRE

21

« Je ne voudrais pas me mêler de ce qui ne me regarde pas, a commencé ma mère, mais… »

J'ai soupiré, suffisamment fort pour qu'elle se rende compte que je n'étais pas particulièrement intéressée par ce qu'elle avait à me dire. C'était quoi, cette fois ? Mon bulletin qu'elle ne trouvait pas assez reluisant à son goût ? (Remarquez qu'elle n'aurait pas tort, mes notes n'ont jamais été aussi basses. Je n'ai rien coulé… mais tout juste, dans certaines matières.) Mes sorties plus fréquentes qu'avant ? Mes retours souvent tardifs à la maison ? Ou quoi ?

« Parmi tous tes préparatifs pour l'été prochain, as-tu pensé à te munir d'un moyen de contraception… ou même de protection ? »

Dans le silence qui a suivi, j'ai eu le temps :

1. de me sentir devenir toute rouge ;

2. de me dire « Ça y est, elle se prend pour la mère de Suzie » ;

3. d'ouvrir la bouche sans trouver quoi que ce soit d'intelligent à dire ;

4. de refermer la bouche ;

5. d'admettre qu'elle avait bien raison, ma mère, et qu'il me faudrait penser à « ça » aussi, et pas juste à des itinéraires, des aliments facilement transportables ou de l'équipement pas trop lourd.

Alors j'ai répondu, sèchement :

« Oui, oui, inquiète-toi pas, je m'en occupe. »

J'ai bien vu qu'elle aurait aimé poursuivre la conversation (si on peut appeler ça une conversation), mais, devant mon air fermé, elle m'a seulement fait un petit signe de la tête, comme si elle m'encourageait ou qu'elle me disait au revoir.

J'en ai profité pour quitter la cuisine et aller m'enfermer dans ma chambre.

***

Pourquoi est-ce que ça m'achale que ma mère m'ait dit ça ? Dans le fond, je devrais être contente. Elle n'a pas poussé les hauts cris quand je lui ai parlé de notre projet pour l'été prochain. Elle n'a pas insisté pour qu'on soit accompagnés d'un chaperon, ou au moins d'une troisième personne qui pourrait servir d'accompagnatrice, de surveillante et… d'empêcheuse de tourner en rond (ou de se rapprocher de trop près). Elle n'a pas non plus posé des tas de questions insidieuses pour savoir « quelles étaient nos intentions » (ça, ce serait plutôt le genre de mon père). Non, elle a été parfaite. La mère dont rêveraient la plupart de mes amis. Et même *tous* mes amis.

Alors pourquoi est-ce que je me sens si mal à l'aise pour parler de sexualité avec elle ?

Pourtant, il y a quelques années, quand elle a commencé à me parler de menstruations, c'était simple, facile, pas compliqué. Pourquoi est-ce que ce ne serait pas la même chose pour parler de rapports sexuels ? Pourquoi est-ce que ça me gêne de lui dire que j'ai envie de savoir ce que c'est, « l'amour », que j'ai envie de sentir Marek m'envahir complètement, partout, que j'ai envie d'être aussi proche de lui qu'on peut l'être d'une autre personne ?

Elle doit bien le savoir, ce que je ressens. La preuve, c'est sa question de tantôt. Alors ? Alors rien. Alors je crois que je préférerais qu'elle fasse semblant de ne rien voir et de ne rien savoir.

(Je devrais écrire un traité intitulé *Éloge de l'hypocrisie*. Je suis sûre que j'aurais des tas de choses à dire là-dessus.) Ou peut-être que je voudrais qu'elle m'en parle, oui, mais sans ces préambules que je trouve plus gênants qu'autre chose : « Je ne voudrais pas te déranger, mais... » « Je sais que ça t'achale, mais... » « Je ne veux pas me mêler de ce qui ne me regarde pas, mais... » Je devrais lui dire que je n'aime pas ça, ces entrées en matière faites à reculons. Je devrais. Mais je sais bien que je ne le lui dirai pas.

Wishy-washy pour ça aussi.

***

Suzie a entrepris de séduire Miguel. Mais, incapable de faire ça comme tout le monde, elle le fait à sa manière, c'est-à-dire en rabrouant Miguel, en se moquant de lui, en n'étant jamais d'accord avec rien...

Résultat : tout le monde est convaincu qu'elle le déteste, et Miguel est au désespoir.

Même que les autres membres de la gang m'ont demandé pourquoi Suzie haïssait Miguel à ce point-là.

« Elle ne l'haït pas, elle l'aime, ai-je précisé devant les têtes stupéfaites de Karine, Samuel et François.

— Drôle de façon de manifester son amour », a grommelé Karine qui, elle, n'hésite pas à se coller à Samuel, à lui sourire, à lui faire des mamours...

J'ai cru bon de leur faire remarquer que Suzie avait de drôles de façons de faire à peu près tout.

« Je sais, a répondu Karine. Mais quand même, elle pourrait se montrer un peu gentille... »

J'ai haussé les épaules. Suzie va se montrer gentille le jour où elle va vouloir se montrer gentille, et pas avant.

« Et toi ? m'a demandé François à brûle-pourpoint. Comment tu montres que tu t'intéresses à un gars ?

— Euh... »

Il n'a pas insisté.

***

La clinique était claire. Les murs étaient roses. Et moi, je me tortillais sur ma chaise.

« Je suis peut-être venue trop tôt… Je veux dire, ce n'est que cet été que… enfin, que je vais voir Marek, mon… enfin, mon chum, quoi. »

Il n'y a pas à dire, les explications claires, l'élocution aisée et l'allure décontractée, c'est tout à fait moi !

La médecin à qui je venais de bafouiller ma petite phrase m'a fait un beau sourire. Elle était sympathique, cette fille. Jeune, calme, rassurante. Brusquement, et sans vraiment de raison, je me suis dit que c'est le genre de fille que je verrais bien avec Jean-Claude, mon oncle préféré – s'il finit par revenir de New York ! Je me suis même demandé comment je pourrais m'arranger pour qu'ils se rencontrent, Geneviève (elle s'appelle Geneviève) et lui. (Je me vois, suggérer à Jean-Claude d'attraper une MTS, question d'aller se faire soigner par ma nouvelle docteure…)

Inconsciente de l'avenir amoureux que j'étais en train de lui préparer, Geneviève m'a donc souri.

« Moi, tu sais, je trouve qu'il vaut mieux venir deux ou trois mois *avant* que deux ou trois mois *après*. Surtout que, avec certains moyens de contraception, ça prend deux ou trois mois avant que ce soit efficace. »

Évidemment, vu sous cet angle…

« Voyons quelles sont les solutions possibles, dans ton cas… »

On a parlé pendant un bout de temps. Geneviève m'a vraiment expliqué « tout ce que vous avez toujours voulu savoir sur la contraception sans jamais oser le demander ». Elle a répondu à mes questions. Puis elle a commencé à parler de prévention.

Encore les MTS, le sida et ces bibites toutes plus honteuses les unes que les autres !

J'ai grimacé.

« C'est pas drôle, hein, de se faire parler de maladies et de bobos quand on est en amour par-dessus la tête... » a dit Geneviève, gentiment.

Ça, j'étais bien d'accord avec elle !

« Mais pour ça aussi, tu vois, mieux vaut prévenir que guérir, si tu me pardonnes la phrase toute faite. Surtout qu'il y a des choses, là-dedans, qui se guérissent bien mal, ou qui peuvent avoir des conséquences tragiques. Malheureusement, ma belle, on n'est plus à l'époque où le pire qui pouvait arriver, c'était de tomber enceinte.

— Oui, mais dans notre cas, à Marek et à moi, il n'y a pas de danger. On n'a pas couraillé toute notre vie, on... »

Mais Geneviève m'a interrompue.

« Il y a des comportements plus risqués que d'autres, tu as raison. Mais personne n'est vraiment à l'abri d'une MTS. Tu sais, les chlamydias, les gonocoques ou le VIH, on n'a pas ça d'écrit dans le front. On peut même être infecté sans le savoir... »

Et la confiance, alors ? ai-je failli demander. Ça n'existe plus ?

Geneviève a bien vu que j'avais des réticences.

« Je ne suis pas là pour t'obliger à faire ou à ne pas faire des choses. Je suis là pour te renseigner, pour répondre à tes besoins... et pour faire un peu de prévention. »

Pour moi, prévention égale condoms, et je ne peux pas dire que ça m'attire beaucoup. Ça manque nettement de romantisme, et il me semble que ça fait pressé, honteux, un peu sale...

J'ai fait part de mes réflexions à Geneviève. Elle a souri (elle sourit beaucoup).

« C'est certain que la spontanéité en souffre un peu, et je mentirais si je te disais que, personnellement, j'adore utiliser des condoms... Mais il y a moyen de s'arranger pour que ce ne soit ni déprimant, ni honteux, ni sale. »

Ouais... Je ne peux pas dire que je suis entièrement convaincue. Mais une chose est sûre, je vais penser à tout ça.

Promis. (Après tout, ces conseils, c'est peut-être ma future tante qui me les a donnés.)

***

Je suis passée par la pharmacie et j'en suis ressortie avec une provision de pilules anticonceptionnelles. C'est drôle, je n'en ai pas encore pris une seule, mais de les avoir là, dans mon sac, j'ai l'impression d'être plus grande, plus adulte, plus « femme »... Bref, je délire joyeusement et je souris encore plus (d'un sourire de femme, bien sûr).

***

Les préparatifs pour l'été avancent (et pas juste du côté des petites pilules). Finalement, j'ai décidé d'éliminer le trajet Montréal-Québec à bicyclette. Tant qu'à éliminer quelque chose, autant éliminer le bout le plus urbain, le plus industrialisé, le plus achalandé aussi, je suppose.

On va donc prendre l'autobus pour Québec, où on va passer deux jours. Ensuite, on va se farcir, en quatorze jours et autant d'étapes, les quelque huit cent cinquante kilomètres qui séparent Québec de Longue-Pointe. Une fois à Longue-Pointe, cinq jours d'observation de baleines. Et des couchers dans un motel-hôtel-auberge, ou quelque chose comme ça. En tout cas pas en camping. Je me suis dit qu'après deux semaines de camping, Marek et moi, on aurait bien droit à un petit répit. Ensuite... je ne sais pas trop. Ça viendra bien en temps voulu.

Côté planification, ça va donc assez bien. Côté préparation matérielle aussi. Finalement, grâce à des prêts et à des dons aussi généreux que disparates, nous n'aurons pas à acheter trop de matériel de camping (ce qui réjouit nos cœurs purs et nos porte-monnaie modestes).

Par contre, la préparation physique laisse à désirer... C'est bien beau, vouloir parcourir huit cent cinquante kilomètres à bicyclette, encore faut-il être capable de le faire !

Résolution : dès demain, non, dès ce soir (tout de suite, quoi), gymnastique quotidienne, pour assouplir, tonifier et endurcir tous mes petits muscles mous et flasques… Et, quand la neige aura fini de fondre, bicyclette le plus souvent possible.

***

« Il y a *Jules et Jim* au Ouimetoscope, ce soir. Tu veux venir avec moi ?

— Et les autres ?

— J'en ai pas parlé aux autres. Je t'en parle à toi. »

Je suis restée sans voix.

Ma première réaction, ça a été de me dire que je ne pouvais quand même pas sortir avec un gars de secondaire III ! (Je ne suis pas particulièrement fière de ma première réaction, mais le propre des premières réactions c'est précisément de n'être pas préparées longtemps d'avance et donc d'être parfois assez inattendues… ou même gênantes).

Ma deuxième réaction, ça a été de me sentir gênée d'avoir pensé ça et de songer que, de toute façon, François a quand même quinze ans. S'il est en secondaire III, c'est qu'il a raté une année d'école, quand il était petit, pour cause de maladie.

Ma troisième réaction, ça a été de me sentir honteuse de cette deuxième réaction, qui ne faisait qu'empirer la première et montrer à quel point j'étais snob, et à quel point je me préoccupais de l'opinion de tout le monde.

Ma quatrième réaction (enfin !), ça a été de me dire que, de toute façon, je n'allais pas aller au cinéma *toute seule avec un garçon* alors que j'aimais Marek.

J'en étais là dans mes réactions (Dieu sait jusqu'où ça aurait pu aller) quand François m'a dit, avec un air de désespoir comique :

« Houlà ! Pas besoin de réfléchir jusqu'à demain matin, tu sais, je ne te demande pas en mariage. De toute façon, si tu réfléchis jusqu'à demain matin, le film va être fini, et on ne sera pas plus avancés… »

Facile à dire, «je ne te demande pas en mariage»…

Et puis, dans le fond, il avait raison. Quoi de plus normal que d'aller voir un film avec un garçon qu'on côtoie tous les jours à l'école et avec qui on est déjà allée quelques fois au cinéma (en groupe, mais, bon, où est la différence?).

J'ai donc murmuré, d'une petite voix faiblarde qui m'a donné le goût de me battre:

«*Jules et Jim*?

— Oui, *Jules et Jim*. Le film de Truffaut, avec Jeanne Moreau et Oscar Werner…

— Et elle fait qui, Jeanne Moreau? Jules ou Jim?

— Viens au Ouimetoscope, tu verras bien.»

***

J'y suis allée. J'ai vu. Et j'ai adoré.

(Pour ceux que ça intéresse, Jeanne Moreau ne faisait ni Jules ni Jim, mais bien Catherine – joli nom, ça –, qui passe de Jules à Jim, et vice-versa, tout le long du film. C'est un film qui est à la fois drôle et triste. Et qui finit mal. C'est dans ce film-là que Jeanne Moreau chante, de sa petite voix acide, «Elle avait des bagues à chaque doigt/Des tas de bracelets autour des poignets…» Depuis deux jours, cette chanson-là me hante.)

C'était la première fois que j'allais au cinéma toute seule avec un garçon, et j'étais sur mes gardes. C'est bien connu, les garçons ne vont au cinéma que pour avoir la chance de tripoter des seins ou de voler un baiser. C'est du moins ce que semblent vouloir nous faire croire la quasi-totalité des films américains sur le sujet: la première soirée au cinéma, le noir, les mains qui se frôlent, les doigts qui tâtent, les souffles qui s'essoufflent, les lèvres humides qui s'approchent… Pas très ragoûtant, tout ça!

Alors je m'étais habillée en conséquence. Pantalons assez amples (pas de jupe à soulever ni de cuisses trop moulées, oh non!), t-shirt, blouse épaisse, gros chandail, veste et blouson. Résultat, j'ai failli crever, et crever pour rien, par-dessus le marché, parce que François n'a pas tenté le moindre petit geste d'intimité ou de passion. Assis tranquillement à ma droite, il s'est laissé prendre par le film et n'a quitté l'écran des yeux que quand la dernière ligne du générique a fini par disparaître et que les lumières se sont rallumées.

Il a cligné des yeux avant de me demander, l'air vraiment inquiet, pour une fois :

« Alors ?

— J'ai aimé ça. Beaucoup. »

Il a poussé un grand soupir de soulagement.

« C'est la sixième fois que je le vois, et, chaque fois, c'est l'éblouissement. Et Jeanne Moreau… »

Là, il avait l'air carrément pâmé. Moi, je n'ai pas pu m'empêcher de penser que ce n'était peut-être pas tout à fait normal qu'un garçon de quinze ans soit à ce point épris d'une actrice qui pourrait être sa grand-mère… Je sais bien que le film date d'il y a presque trente ans et que, il y a trente ans, Jeanne Moreau était encore toute jeune et toute belle. Mais, quand même… Quoique, dans un sens, c'est plus sympathique que s'il s'intéressait uniquement à Farrah Fawcett (qui, de toute façon, doit bien être aussi vieille que Jeanne Moreau) ou à Molly Ringwald.

Il m'a raccompagnée chez moi.

Avant de s'éloigner, après m'avoir donné un bec rapide sur la joue, il m'a dit :

« Au fait, pour la prochaine fois, pas besoin de te blinder, tu sais… »

Heureusement qu'il faisait noir et qu'il ne m'a pas vue rougir !

***

J'ai commencé une lettre à Marek dans laquelle je racontais ma soirée au cinéma sur le mode humoristique. Je l'ai déchirée au bout de dix lignes.

J'en ai commencé une autre dans laquelle, toujours sur un ton humoristique, je lui racontais ma visite à la clinique et le résultat de cette visite. Celle-là, je l'ai déchirée au bout de six lignes. C'est bizarre : Marek, dans ses lettres à lui, a beau multiplier les allusions à « ce qui va se passer l'été prochain », il a beau me parler de mon anatomie avec force détails et me décrire des caresses qui troubleraient même une statue, on dirait que j'ai du mal à m'engager moi aussi dans cette voie... Des beaux poèmes, oui, et des tas de sentiments, mais il n'y a rien de trop physique dans mes lettres. Dans mes rêves, oui, mais je ne lui parle pas de tous mes rêves et de tous mes désirs.

Finalement, je lui ai écrit une lettre même pas humoristique dans laquelle j'ai dressé l'itinéraire complet de notre voyage à bicyclette. Je lui ai aussi parlé de mon « entraînement » (que, jusqu'ici, je n'ai pas trop négligé – j'en suis d'ailleurs aussi étonnée que soulagée) et du temps qu'il fait. Oui, du temps qu'il fait !

CHAPITRE

22

Urodziłem się tam
Nie wybierałem miejsca.

J'ai reçu une lettre de Marek qui commençait comme ça. Aïe! me suis-je dit, Marek qui joue aux devinettes... Même avec mon dictionnaire, je n'étais pas sûre d'arriver à y comprendre quelque chose.

Mais, non, Marek ne jouait pas aux devinettes: tout de suite après, il me fournissait une traduction de ces lignes, et même du poème au complet.

Je suis né là-bas
Je n'ai pas choisi l'endroit.
J'aurais bien voulu naître tout simplement dans l'herbe.
L'herbe pousse partout.
Il n'y a que les déserts qui ne voudraient pas de moi.
Ou bien j'aurais pu naître aussi
Dans un écheveau du vent,
Quand respirent les airs.
Mais je suis né là-bas.
Ils m'ont enchaîné quand j'étais encore enfant.
Et puis ils m'ont lâché dans le monde avec mes petites chaînes.
Je suis ici. Je suis né là-bas.
Si au moins j'avais pu naître en mer.
Et toi, fer magnétique,

Qui sans arrêt m'orientes vers le pôle,
Tu es lourd; sans toi je suis si léger
Que j'en perds ma notion de poids.
Je porte donc ces petites chaînes
Et je les secoue comme le lion sa crinière.
Mais les gens de là-bas crient:
Reviens.
Ils m'appellent: petit, petit, petit.
On me jette en l'air du millet et des herbes.
Le chien à la niche.
Je suis un poète (il faut bien avoir un nom).
Ma chaîne, c'est ma langue.
Les mots sont mon collier.
Je suis né là-bas.
(J'aurais bien voulu naître tout simplement dans l'herbe.)

Je l'ai lu trois ou quatre fois, le poème, pour être sûre de bien comprendre ce que voulait me dire Marek, par les mots de Bogdan Czaykowski (qui est un Polonais en exil au Canada, m'a précisé Marek). C'était la première fois, vraiment, qu'il me parlait de la Pologne. Pas juste de la situation politique (en fait, pas du tout de la situation politique), mais de ce que représente la Pologne, pour lui.

C'est un rêve, c'est une blessure, c'est une rage. J'aimerais pouvoir dire que c'est ma patrie, mais ce n'est même pas vrai. Je suis un faux Polonais comme je suis un faux Français et un piètre Américain. Je ne sais pas qui je suis. Je ne sais pas où j'appartiens. Et, pour tout simplifier, j'aime une fille qui est à moitié étoile, à moitié Québécoise…

(Petite parenthèse. Autant, l'été dernier, j'étais heureuse que Marek me parle d'étoiles et se réjouisse de mon nom-constellation, autant, maintenant, ça m'embête qu'il poursuive dans cette veine. J'ai l'impression qu'il ne parle pas vraiment de moi, qu'il se trompe sur mon compte, et je ne sais pas trop comment le lui faire savoir. Une étoile et une constellation, c'était bien beau au bord de la mer, avec les vagues en bruit de fond et cette orgie d'étoiles au-dessus de nos têtes… Mais à Montréal, dans le plus quotidien de mon quotidien, dans le plus ordinaire de mon ordinaire, eh bien, je ne me sens ni brillante, ni vaporeuse, ni céleste, juste Cass Bérubé-Allard, nom assez peu inspirant, si vous voulez mon avis. Mais, bon, on ne parlait pas de moi, mais de Marek.)

Les autres (les autres Kupczynski, j'entends) ne semblent pas trop se poser de questions sur leur identité. Pour Karol, aucune hésitation possible: il est Américain à cent pour cent (probablement même à cent cinquante pour cent). S'il a un regret, c'est de ne pas pouvoir être un jour président des États-Unis. Au cas où tu ne le saurais pas, le président doit absolument être né aux USA. Alors, à moins qu'ils ne changent la loi d'ici quelques années, mon pauvre frère n'a aucune chance (pour le moment, il se contente de rêver d'être secrétaire d'État – comme Kissinger – ou leader de la Chambre…). Sophie, elle, a choisi la musique comme patrie, comme univers, comme passion. Elle se sent chez elle partout où elle peut donner libre cours à cette passion, et se sentirait exclue uniquement d'un monde où la musique serait bannie – ce qui, jusqu'à preuve du contraire, n'est le cas ni aux États-Unis, ni en France, ni même en Pologne… Quant à Andrzej, il est Polonais. Même que, parfois, je trouve qu'il joue un peu trop bien son rôle de Polonais en exil. Nostalgique, malheureux… Mais je suis sans doute injuste avec Andrzej. Ce n'est pas un rôle. Il est nostalgique (because la Pologne et l'exil) et malheureux (because Hélène, et surtout l'absence d'Hélène – en passant, tu te souviens de Sandra, l'amie qu'il avait traînée à la fête, l'été dernier ? Elle n'est plus dans le décor. Je suppose qu'elle en a eu assez de disputer Andrzej à une morte…).

Il reste moi, et je ne sais plus du tout où j'en suis, Cassiopée. Je me sens mal dans ma peau et dans ma tête.

Écris-moi. Écris-moi beaucoup, longtemps. Écris-moi tes lettres un peu folles, un peu délirantes. Écris-moi tous ces mots que tu puises chez les poètes et qui sont si beaux. Raconte-moi Éluard et les autres. (Au fait, il doit bien y avoir des poètes, au Québec ? Parle-moi d'eux, aussi.) Mais, de grâce, écris-moi. Je me trompe peut-être, mais j'ai l'impression que tu m'écris moins, depuis quelque temps…

Petit coup au cœur, en lisant ça. Et grand coup de culpabilité. Il a raison, Marek. J'écris moins. J'écris moins souvent et, quand j'écris, c'est surtout pour parler d'itinéraires et de kilométrage…

Je ne m'en étais pas rendu compte, et je serais bien en peine de dire quand s'est produit ce… cette… J'allais dire « ce désintérêt » ou « cette rupture », mais ce n'est ni un désintérêt, ni une rupture (non, oh non !). Alors, comment nommer cette chose qui nous arrive, qui m'arrive, et qui me fait un peu peur ? Un éloignement ? Un refroidissement ? Un relâchement ? Un relâchement… Oui, peut-être. Un relâchement du cœur, de l'esprit et de l'écrit. Depuis quelque temps, Marek ne m'obsède plus à longueur de jour et de nuit. Je ne me meurs plus d'amour pour lui. Je ne me languis plus de lui comme avant. (J'aime bien ces expressions, « se mourir d'amour », « se languir » : elles ressemblent à ce qu'elles signifient. Je n'ai qu'à les dire ou à les écrire, et voilà que me vient l'image d'une Cassiopée en longue robe vaporeuse, nonchalamment étendue sur une espèce de divan ancien, en train d'agiter mollement un éventail un peu fané.

Alanguie. Languissante. Tout ça dans des teintes un peu délavées. Crème, rose, ivoire.) Donc, je ne me languis plus. Je pense à lui souvent. J'ai hâte à l'été prochain. Je prends avec régularité mes petites pilules anti-bébé. Mais c'est tout. Le reste du temps, je fais autre chose, je pense à autre chose.

....

Oh ! et puis arrête de tourner autour de la casserole, Cassiopée ! Si j'étais honnête (serai-je honnête ?), j'admettrais que je sais bien quand ça a commencé. Ça a commencé quand j'ai senti que je faisais de l'effet à un dénommé François. Et si j'étais vraiment vraiment honnête, je dirais que j'ai senti ça avant même la séance de cinéma (qui a d'ailleurs été suivie de trois autres, jusqu'à maintenant).

Oui, j'ai senti de l'intérêt de la part de François, et, non, je n'ai rien fait pour le décourager. Ni pour l'encourager, d'ailleurs ! (Menteuse, menteuse, me souffle une petite voix qui doit être ce qui me reste de conscience. Tu aurais pu carrément refuser d'aller au cinéma avec lui. Tu aurais pu te montrer sous ton plus mauvais jour : cheveux gras, boutons, humeur de chien… Au lieu de ça, tu joues à la fille sympathique, tu t'arranges pour être à ton avantage quand tu sais que tu vas voir François… Tu t'es mise à t'intéresser à l'état du monde et à Amnistie Internationale, tu parles de ce qu'il aime et tu l'écoutes parler. Oh ! tu glisses le nom de Marek dans les conversations, bien sûr, comme pour te protéger, mais un nom, ma belle, ce n'est pas un bouclier magique, ça ne protège pas de tout. Et, d'ailleurs, dis-moi si je me trompe, il me semble que tu le glisses de moins en moins souvent, le nom de Marek, dans les conversations… Et ne va pas dire que, quand le bras de François frôle le tien, par inadvertance, bien sûr, par inadvertance, ne va pas dire que tu n'en tires pas un certain plaisir… Pas vrai ? Tu ne le lui laisserais jamais savoir, cela va de soi, mais ça te trouble, Cass, ça te trouble.)

« Merde ! » dis-je à haute et intelligible voix à ma petite voix. « Merde, merde et remerde ! Voudrais-tu me faire passer pour une coquette, une hypocrite et une menteuse, par hasard ? »

Mais la petite voix ne répond pas, et j'en déduis qu'il faut que je tire mes conclusions moi-même, ce qui ne me plaît pas plus qu'il faut, j'aime autant vous le dire.

***

Je voudrais effacer ce que j'ai écrit l'autre jour. L'effacer et qu'il n'en reste rien, ni dans mon cahier ni dans ma tête. Parce que, depuis que j'ai écrit ça, je ne sais plus où j'en suis.

Depuis que c'est écrit, depuis que ça apparaît bleu sur blanc dans mon cahier-journal, ça a l'air plus vrai, plus réel, l'intérêt de François à mon égard. Et le mien à son égard. Tant que ça n'a pas été écrit, ça n'existait pas. Depuis que c'est écrit, ça existe. Peut-être même que ça existe *parce que* c'est écrit.

Et, maintenant que ça a été écrit, je sais bien que ça n'arrangerait rien que je l'efface ou que je déchire la page. Parce que ça n'existe pas que sur le papier. Ça a envahi la réalité.

***

Est-ce que c'est mal de se sentir flattée parce qu'un garçon nous trouve de son goût ? Est-ce que c'est mal de ne pas trop essayer de le décourager sous prétexte qu'on a un chum ailleurs ? Est-ce que c'est mal de ne pas parler de tout ça au chum en question ?

Je ne sais pas.

Peut-être bien que je suis coquette, hypocrite et menteuse. Je ne peux pas dire que ça m'enchante (c'est drôle, mais on dirait qu'il y a des degrés, dans les défauts : gourmand ou paresseux, à la rigueur, c'est presque sympathique ; hypocrite et jaloux, c'est et ça restera détestable – et, tant qu'à avoir des défauts, j'aimerais autant qu'ils penchent du côté sympathique)...

***

Est-ce que Pauline aurait raison ? Loin des yeux, loin du cœur. Amour d'été, amour vite oublié.

Mais je ne veux pas qu'elle ait raison ! Je ne veux pas ! Et je ne veux pas non plus que quelques lignes écrites dans un moment de découragement fassent chavirer mon amour pour Marek.

J'aime Marek, et je n'aime que lui. Cet été, nous allons passer des semaines merveilleuses ensemble, et mes vagues (très vagues) émois du côté de François seront vite oubliés (j'ai d'ailleurs déjà commencé à les oublier).

D'ici là, ma conduite est claire : je cesse les sorties à deux avec François, je ne lui montre plus qu'une sympathie très très distante, et je reviens à Marek en pensées et en lettres.

Et pour commencer, voyons un peu ce qu'il y a en poésie québécoise…

CHAPITRE

23

Tout le monde s'acharne contre moi, à commencer par Karine, qui est bien gentille, mais qui se mêle un peu trop de vouloir réconcilier tout le monde.

Ce matin, elle m'a abordée à la bibliothèque.

« Qu'est-ce qui se passe, Cass, entre François et toi ? Depuis que Suzie agit de façon à peu près civilisée avec Miguel, on dirait que c'est toi qui t'es mise à persécuter François... Est-ce que c'est par amour, toi aussi ? »

(La dernière phrase dite sur un ton passablement ironique.)

« Non ! De toute façon, c'est quoi, ces idées-là ? Je ne le persécute pas, François. Je ne lui ai rien fait de mal, à ce que je sache. Je ne me suis pas chicanée avec lui.

— Non, mais... On dirait que tu ne veux plus le voir, que tu le fuis.

— Les grands mots !

— C'est vrai, Cass. Avant, vous vous voyiez souvent, vous faisiez des choses ensemble. Là...

— Là, je suis occupée, imagine-toi donc. Mon dernier bulletin était minable, et j'ai décidé de me reprendre en main. Tu n'as rien contre ça, j'espère ? Et puis, si tu veux savoir, entre François et moi, il n'y a jamais rien eu. Rien de rien de rien !

— Pourtant...

— Il n'y a pas de "pourtant" ! Ce n'est pas parce que, pour Samuel et toi, c'est le grand amour, ni parce que Suzie et Miguel fondent en se tenant la main et en se regardant dans le blanc des yeux qu'il faut nécessairement que j'en fasse autant avec François ! François, c'est un bon copain, comme vous tous, et rien de plus. Je le vois quand je vous vois, et c'est très bien comme ça. Pourquoi tu voudrais que ça change ? »

Karine m'a fait un sourire un peu condescendant, style « ma pauvre fille, qui essaies-tu de tromper ? », puis elle est sortie de la bibliothèque. Je suppose qu'elle est allée faire son rapport aux autres membres de la gang...

En fait, dans la gang, la seule qui semble assez peu intéressée à savoir ce qui m'arrive, c'est Suzie, croyez-le ou non. Elle est tellement préoccupée par ce qui lui arrive à elle qu'elle en oublie tout le reste (heureusement pour moi !). Ce qui est drôle, c'est que Suzie, la fonceuse, la fille qui veut toujours tout expérimenter, eh bien, Suzie vit avec Miguel un amour romantique, amoureux et très chaste. Je me demande même s'ils se sont déjà caressés d'un peu près. Comme quoi Suzie réussira toujours à m'étonner...

***

Une autre qui veut savoir ce qui se passe entre François et moi, c'est ma mère, Josée Bérubé en personne.

« Cass, qu'est-ce qui arrive avec le garçon que tu voyais de temps en temps ? Le maniaque des films et des ruelles... »

«Le maniaque des ruelles » : elle a de ces expressions, ma mère. François ne rôde quand même pas dans les ruelles, un couteau entre les dents, à la recherche de petites filles à violer ou à égorger.

« François ?

— Ouais, François... Et ne prends pas un air surpris comme ça, tu sais très bien de qui je parle et de quoi je parle. »

À elle aussi, j'ai débité ma petite histoire. Il ne se passait rien avec François, il ne s'était jamais rien passé avec François, si je le voyais moins, c'était pour étudier plus, c'est tout, et il ne fallait pas en faire tout un plat.

« Et c'est d'étudier plus qui te rend d'une humeur aussi massacrante ? » m'a demandé ma perspicace mère avant d'ajouter, perfide : « C'est bizarre, d'ailleurs, je n'avais pas remarqué que tu étudiais tant que ça…

— Parce qu'en plus tu m'espionnes, maintenant ? »

Maman n'a pas répondu à ça. Elle est restée silencieuse un moment. Puis elle s'est remise à parler, sérieusement, cette fois, gentiment et sans ironie.

« Tu sais, Cass, tu n'es pas obligée de t'acharner à sauver ton amour avec Marek. Dans la vie, il arrive qu'on se rende compte qu'on s'est trompé et que notre amour, qu'on croyait plus grand et plus fort que tout, ne résiste pas au temps, ou à la distance, ou à de nouvelles rencontres qu'on peut faire. Aimer quelqu'un qui est au loin, ce n'est pas simple…

— Non, ce n'est pas simple, et puis après ? Tu voudrais que j'oublie Marek, parce que ce n'est pas simple, et que je me jette sur François ? Tu trouves que ce serait plus pratique ? C'est ça que tu veux pour moi, c'est ça que tu me souhaites, un amour pratique ? Un petit amour étriqué et facile, un petit amour qui ne dérange rien, un petit amour à portée de la main ? Est-ce que tu as toujours pensé ça, ou ça t'est venu en vieillissant, ce goût pour la facilité ? En tout cas, moi, je ne veux pas vieillir comme toi, installée confortablement entre mes pantoufles et un gros bonhomme chauve ! Moi, j'aime Marek, que ça te plaise ou non, et je vais continuer à aimer Marek ! Même si ce n'est pas *facile* ! »

Si je ne suis pas partie en claquant la porte, c'est qu'il n'y a à peu près plus de portes, dans cette maison, depuis que maman et Jacques se sont lancés dans de grandes rénovations. Mais il me semble que ça m'aurait fait du bien, de claquer une porte bien solide, bien sonore, qui aurait fait vibrer la cabane jusque dans ses moindres recoins…

Je regrette juste une chose, c'est d'avoir traité Jacques de gros bonhomme chauve. Il y a longtemps que j'ai cessé de ne voir que ça, chez lui.

***

Et, forcément, il y a quelqu'un d'autre que mon attitude intrigue: François. Après tout, c'est lui le principal intéressé.

La première fois qu'il m'a téléphoné pour aller au cinéma et que j'ai dit non, il n'a pas eu l'air de s'inquiéter (d'ailleurs, pourquoi se serait-il inquiété?). « Ce sera pour une autre fois, a-t-il dit. Ciao ! » Évidemment, je n'ai pas fait exprès de lui dire qu'il n'y aurait pas d'autre fois.

La deuxième fois, il a suggéré de reporter notre sortie au lendemain. Quand j'ai dit non, il a eu l'air surpris.

La troisième fois, il n'y est pas allé par quatre chemins. Il faut dire aussi que j'avais commencé à lui servir mon attitude de « sympathie distante » (plus distante que sympathique, d'ailleurs) et qu'il se doutait enfin de quelque chose.

« Qu'est-ce qui se passe, Cass? Qu'est-ce que je t'ai fait?

— Rien.

— Alors pourquoi tu me fuis?

— Je ne te fuis pas.

— Cass… »

J'ai ouvert la bouche, prête à lui offrir mes excuses habituelles. L'école, l'étude, les préparatifs du voyage avec Marek… Et puis mes mots m'ont trahie, et je me suis entendue dire, d'une voix tremblante:

« C'était trop compliqué, François, ça ne pouvait pas durer.

— Le cinéma?

— Pas le cinéma. Tout le reste. »

Pendant un moment, il est resté silencieux au bout du fil. Je me suis demandé s'il était encore là. Puis il a repris la parole, d'une voix un peu hésitante.

« Puisqu'il faut en arriver là… C'est à cause de Marek? »

Je n'ai pas trop su s'il s'agissait d'une question ou d'une affirmation.

« Oui, ai-je quand même soufflé dans le récepteur.

— Pourtant, Cass, dans les faits… Il ne s'est rien passé que… que Marek n'aurait pas approuvé.

— …

— Cass ?

— Non, il ne s'est rien passé…

— Alors, pourquoi tu as l'impression d'avoir trahi Marek ? »

J'ai grimacé, à mon bout du téléphone. Il posait de trop bonnes questions, François, et avec des mots trop précis.

« Alors ?

— …

— Alors si ce n'est pas dans les faits que tu as l'impression d'avoir trahi Marek, est-ce que ce serait dans ta tête ou…

— Fais-moi pas dire ce que je veux pas dire, François Corriveau ! »

Avant de raccrocher, j'ai cru l'entendre rire. Mais c'est peut-être juste moi qui suis paranoïaque.

***

Pour une fille qui veut oublier François et se consacrer à Marek, je trouve que je parle beaucoup trop du premier et pas assez du deuxième… (Disons que je voulais mettre les choses au clair dans ma tête et sur papier et que, pour ça, il me fallait absolument parler de François.)

Quant à Marek… on se voit dans un tout petit peu plus qu'un mois (trente-huit jours), et, en attendant, en l'attendant, je me suis replongée dans la poésie. Inutile de dire que mes efforts, côté étude, n'ont pas duré longtemps. De toute façon, dans ce qu'on nous apprend à l'école, il n'y a pas grand-chose qui m'intéresse… Le français, à la rigueur (et encore, pas tout). Il me semble que ce qui se passe dans ma vie est drôlement plus important que quelques équations, quelques formules de physique ou des dates depuis longtemps oubliées…

Par contre, la poésie… Et Marek…

CHAPITRE

24

Demain, je vais être dans le Guinness (pas la bière, le livre des records) ! En compagnie de 34 999 autres personnes, ce qui m'enlève peut-être un peu de ma gloire. Mais si peu, si peu…

Le Tour de l'Île, autrement dit les soixante-dix kilomètres à bicyclette autour de l'île de Montréal, a été officiellement reconnu comme le plus grand rassemblement cycliste au monde. Impressionnant, non ?

Heureusement, les départs se font graduellement, ce qui va peut-être m'éviter d'être noyée dans la foule et paralysée avec ma bicyclette. (Peut-être !)

En attendant, j'essaie de dormir, afin d'être en forme pour demain. Mais, comme toujours à la veille de quelque chose d'important, je n'arrive pas à fermer l'œil.

Je pense au Tour de l'Île, je pense à Marek (oui, oui), je pense à François (non !)… Avec un peu de chance, je vais réussir à grappiller quelques heures de sommeil avant d'aller retrouver le fameux François (ainsi que Suzie, Miguel, Karine, Samuel et Jasmine, Dieu merci !) et d'entreprendre le grand pédalage.

***

Bloup. Woups. Ouf. Boudoumboudoum.

C'est fait. Ou plutôt, je l'ai fait.

Il faisait beau (mais je l'ai vite oublié). Il faisait chaud (ça, malheureusement, pas moyen de l'oublier). Il y avait foule (disons que je m'y attendais). Et soixante-dix kilomètres, c'est long (sans compter l'aller et le retour, mais, bon, je ne vais pas me mettre à rechigner pour quelques malheureux petits kilomètres). Bref, je suis morte (et ça, c'est rien, j'ai hâte de voir de quoi je vais avoir l'air demain...). J'ai mal au dos, aux mains, aux cuisses. J'ai les fesses en compote. Et le cœur.

Qu'est-ce que le cœur peut bien avoir à faire avec la bicyclette ? se demanderont certains. Avec la bicyclette, je ne sais pas. Mais avec les retours de bicyclette, à peu près tout...

François et moi, nous avons été les seuls de la gang à faire le Tour de l'Île au complet. Les jambes tremblantes et la langue à terre, mais on l'a fait.

Après, on est descendus de bicyclette, on a bu le berlingot de lait gracieusement offert par la Fédération des producteurs de lait du Québec, on a soufflé deux minutes et on a décidé de rentrer chacun chez soi.

C'est là que les difficultés ont commencé.

Mes fesses ont refusé obstinément de remonter sur la selle qui les avait malmenées pendant toutes ces heures. J'avais beau les raisonner, les supplier, les menacer, elles n'ont rien voulu savoir. Pas question qu'elles se posent sur cette chose avant... avant au moins deux jours !

J'ai jeté un coup d'œil à François. Je ne sais pas si, lui aussi, c'étaient ses fesses qui le faisaient souffrir, mais je sais que lui aussi lançait un regard dégoûté vers son vélo. Il m'a regardée, il a vu mon air, et on a éclaté de rire en même temps.

« Ça nous apprendra à vouloir jouer les athlètes ! a hoqueté François. Mais comment on va rentrer chez nous, dans cet état-là ? »

Finalement, comme dit Prévert,

on est revenu à pied
à pied tout autour de la terre
à pied tout autour de la mer
tout autour du soleil

de la lune et des étoiles
À pied à cheval en voiture et en bateau à voiles.

(Du moment que ce n'était pas à bicyclette...)

À pied, et en poussant nos engins de malheur. Ce n'était sans doute pas la solution la plus rapide, mais c'était sûrement la plus sûre, et celle qui permettrait à nos pauvres muscles endoloris de revenir peu à peu à la normale.

À pied, donc, et en empruntant le chemin le plus biscornu qui soit : les ruelles. Les ruelles chères à François.

À pied, par les ruelles, et en silence.

Ainsi, de ruelles miteuses en ruelles revampées, et de ruelles vides en ruelles meublées de matelas éventrés et de sofas défoncés, nous avons fini par aboutir derrière chez moi. (C'est rare que je passe par derrière, et je suis toujours étonnée de voir l'allure que ça a.)

Et là, sans dire un mot, sans prévenir, sans me laisser le temps de l'en empêcher, François s'est tourné vers moi et m'a agrippé la tête sans douceur (même que sa montre s'est prise dans mes cheveux et que ça tirait). Puis, nos bicyclettes s'enchevêtrant entre nous deux, il m'a embrassée. Pas doucement, pas gentiment, pas délicatement. Pas comme quelqu'un de civilisé, quoi. Mais brutalement, avec une langue rageuse et des dents qui semblaient vouloir me manger. Ou me mordre.

Sur le coup, je suis restée figée. Je me suis laissé faire. Bizarrement penchée au-dessus des bicyclettes, la tête prise comme dans un étau, j'étais douloureusement consciente d'une pédale qui me meurtrissait un tibia (le droit) et d'une poignée qui s'enfonçait dans ma hanche gauche, et je me suis dit que j'aurais de beaux bleus, le lendemain, en plus des courbatures. Je me suis dit aussi qu'il était drôlement vigoureux, François, pour un gars épuisé...

Et puis, comme une énorme bouffée de chaleur, la colère m'a envahie. J'ai retrouvé l'usage de la parole et de mes membres à peu près en même temps, et j'ai repoussé François de toutes mes forces.

Les bicyclettes se sont effondrées un peu plus avec un cliquetis de ferraille vaguement inquiétant, mais nous n'y avons porté attention ni l'un ni l'autre.

Je tremblais de colère, de rage, de déception.

« Non mais, ça va pas ! Est-ce que ça t'arrive souvent de sauter sur le monde comme... comme un sauvage ? Va-t'en, François Corriveau, je ne veux plus jamais te voir ! »

Ma voix était criarde, trop aiguë, trop forte. Si je continuais, j'allais ameuter tout le quartier.

Je me suis efforcée de retrouver un peu de mon calme.

« Écoute, je sais pas pourquoi tu as fait ça. Mais tu n'aurais pas dû. Le style homme des cavernes qui tire sa femelle par les cheveux, ça ne m'intéresse pas. Si ce que tu voulais prouver, c'est que tu es plus fort que moi, bravo, tu as réussi ! Mais si tu pensais me séduire avec ton numéro d'homme des bois, laisse-moi te dire que tu as raté ton coup royalement ! J'ai déjà pensé... »

Je me suis arrêtée. Un, parce que ma voix recommençait à monter et à trembler dangereusement. Deux, parce que je ne voulais pas lui dire que je lui avais déjà trouvé un bon nombre de qualités.

« Va-t'en, c'est tout ce que je te demande. Et laisse-moi tranquille à partir de maintenant. »

Pendant tout ce temps-là, François m'avait écoutée sans rien dire. Il était rouge, plus échevelé que d'habitude et un peu essoufflé, mais il ne semblait pas particulièrement catastrophé par mes cris. Il était juste très attentif.

Quand j'ai eu fini, je me suis penchée et j'ai récupéré ma bicyclette. Au moment où j'ouvrais la porte de la cour, François a enfin dit quelque chose.

« O.K., je m'en vais. Et je promets de ne plus te sauter dessus sans ton consentement. Mais je ne regrette rien et je ne promets pas de te laisser tranquille, si te laisser tranquille ça veut dire m'effacer complètement. Il faut quand même que tu te rendes compte qu'il n'y a pas que Marek...

— Laisse Marek tranquille ! Il n'est même pas là pour se

défendre. Et, de toute façon, tu n'arrives même pas à la cheville de Marek ! »

Heureusement qu'il y a encore une porte de cour. J'ai donc pu la refermer à toute volée pour bien montrer ma rage et ma volonté d'en finir là avec notre conversation. Ça n'a pas fait beaucoup de bruit, mais ça a fait du vent. Enfin, un petit courant d'air.

CHAPITRE 25

Rien à dire des dernières semaines, sinon que les périodes d'examen ne s'améliorent pas avec les années et que j'ai particulièrement hâte que tout ça soit fini.

Le dernier numéro du journal est sorti. François parlait de la Pologne et des dangers des courants d'air dans les ciné-parcs (?) ; Karine, du spectacle multiculturel de fin d'année ; Samuel, de la fusion à froid qui est peut-être une illusion ; Miguel, des éliminatoires de la coupe Stanley ; Suzie, de polarité ; moi, enfin, de *La Vie devant soi* et de Gaston Miron.

Je suis contente que l'année se termine et qu'il n'y ait plus de réunions pour le journal parce que la situation est de plus en plus pénible entre François et moi. Moi, d'un côté, je suis soulagée : son attitude de l'autre jour m'a tellement fâchée que je ne veux plus rien savoir de lui. Je peux donc m'emplir la tête et le cœur de Marek sans arrière-pensées, sans réserves et sans remords…

D'un autre côté, j'en ai assez de subir les regards étonnés de tout le monde depuis que j'essaie d'éviter François. Lui, fidèle à sa promesse, ne rate aucune occasion de venir me parler. Et toujours des sujets les plus saugrenus. De fantômes et d'ectoplasmes, de vinaigrette à l'ail et d'apartheid, d'*Indiana Jones* numéro trois et de *Jésus de Montréal*. Je lui lance chaque fois des regards furieux, mais lui, il a l'air de trouver ça normal. Il ne fait même pas de grimaces ni de grands sparages. Il se contente d'être beau, drôle, intéressant. (J'avoue que ça m'embête.

J'avoue même que je préférerais lui voir un air malheureux, ou repentant, ou torturé... Mais là, j'ai plutôt l'impression qu'il rit de moi – et je n'apprécie pas tellement.)

***

Encore quatre jours d'examens, un party, huit jours de flottement... et Marek arrive!

***

Plus que neuf jours.

Ce soir, c'était le party, mais, finalement, je n'y suis pas allée.

François m'a laissé un message sur le répondeur téléphonique, mais je ne l'ai pas rappelé.

Je me fous de tout ce qui n'est pas Marek.

***

Encore une semaine. Sept jours, à peu près 160 heures, plus ou moins 10 080 minutes, quelque chose comme 604 800 secondes.

Je ne tiens plus en place. Je mets des disques que je n'entends pas, je prends des livres que je laisse au bout de trente secondes dans les endroits les plus incongrus (ça va du réfrigérateur à la poubelle en passant par la sécheuse et les pots de fleurs), je m'assois, je me lève, je m'étends, je me relève, je vais de ma chambre au salon et du salon à la salle de bain (quand je ne sais pas quoi faire, je finis toujours par aboutir dans la salle de bain, en général devant le miroir, à me tripoter un bouton par-ci, un point noir par-là, ou à rechercher quelque horrible poil qui aurait échappé à mon minutieux examen de la veille – ou de cinq minutes auparavant). Bref, je tourne en rond.

Ou, plutôt, je tournais en rond depuis deux jours (depuis le dernier examen, quoi), jusqu'à ce que j'effectue le petit calcul ci-dessus. Et, en fille raisonnable que je suis (?!?!?!), je me suis dit que je n'allais quand même pas tournicoter comme ça pendant 604 800 secondes. D'abord parce que c'est la meilleure façon d'attraper le mal de mer. Ensuite parce qu'il doit sûrement y avoir des choses plus utiles à faire. Il suffit juste de trouver lesquelles.

Moi qui ne rêvais que de voir l'école se terminer, voilà que je me mettrais bien un petit devoir ou quelques pages d'étude sous la dent. Je ferais même un peu de ménage, si ça pouvait faire passer les secondes en accéléré. Mais même cela m'est refusé, puisque, depuis quelques mois, la maison est resplendissante. Impeccable. Comme un sou neuf. Tout cela parce que Jacques est un maniaque du ménage. Tous les soirs, il consacre une petite demi-heure à rectifier ce qui pourrait clocher dans notre douillet intérieur, et le dimanche matin, beau temps mauvais temps, il est debout à six heures et demie (six heures et demie !) pour quelques heures bien remplies d'époussetage, nettoyage, aspirage... Le pire, ou le mieux, c'est qu'il ne nous demande même pas de l'aider ! Il préfère d'ailleurs que nous ne l'aidions pas, nous pourrions saccager son beau travail...

Alors, sans baignoire bien crasseuse à récurer et sans plancher moutonneux à balayer, j'ai décidé de sortir ma bicyclette. Ce n'est pas le temps de négliger mon entraînement.

***

Ça me calme, pédaler. Il y a des tas de flashes qui me passent par la tête.

Des bouts de chansons ou de comptines qui viennent du fin fond de mon enfance (les douze mois de l'année sont janvier, février...), des bouts de phrases venues du passé ou inventées pour plus tard, des jeux (le plus de mots possible commençant par m... maison, manon, musique, madrigal, mendiant, marelle, marek, marek, marek). Marek. Qui sera là bientôt. Et avec qui...

Je pédale et je rêve. Je pédale et j'invente. Je pédale et j'attends. J'attends.

***

« On va l'installer dans ta chambre ? » a demandé ma mère, et, sur le coup, je n'ai pas compris.

« Quoi ?

— Pas *quoi* : *qui*. Marek. »

J'ai compris, mais je ne comprenais pas. Elle veut coucher Marek dans ma chambre ? Dans mon lit ? Avec moi ?

« Non !

— Mais…

— Non ! »

J'étais bouleversée, au bord des larmes, et maman n'a pas insisté.

«On pourrait lui installer un lit de camp dans un coin du bureau…, a-t-elle fini par murmurer.

— Bonne idée ! »

Mais qu'est-ce qui lui prend, à ma mère, de jouer les mères cool et compréhensives ? Pourquoi elle ne me sort pas son numéro de mère inquiète, protectrice, un peu sévère ? Il me semble… il me semble que ce serait plus facile.

Pourquoi elle ne comprend pas que ce qui se passe entre Marek et moi, c'est notre affaire ? Je ne veux pas qu'elle s'en mêle, qu'elle nous arrange tout ça, qu'elle supervise notre première nuit ensemble. Et après, elle voudrait quoi, au juste, qu'on lui rende des comptes ? Qu'on lui présente le drap taché de sang ?

C'est vrai, j'ai vu un film où ça se passait comme ça. Un film algérien, je crois. Pendant la nuit de noces, après avoir défloré sa nouvelle épouse, l'homme devait sortir et présenter, à tout le village massé devant sa porte, le drap de la couche nuptiale, taché du sang garantissant la virginité préalable de l'épousée…

C'était à la fois atroce et hallucinant.

J'ai vu le film avec François (pourquoi faut-il que je pense à lui, et à ce propos, encore!), et nous sommes sortis du cinéma un peu assommés. Un peu gênés aussi.

Le lendemain, j'ai parlé du film à Suzie, et elle m'a dit que c'était une pratique encore assez répandue. Moins qu'avant, mais encore assez.

« Et, tu sais, a-t-elle ajouté, j'ai vu un reportage, une fois, où un médecin racontait comment, chirurgicalement, il pouvait refaire une virginité à une femme…

— Mais c'est affreux ! S'abaisser à ça pour flatter leur orgueil de mâles ! C'est… dégradant. Je ne comprends pas comment elles font pour supporter une telle indignité, une telle atteinte à leur intimité, à leur intégrité… »

Suzie m'a regardée avec des yeux ronds.

« Hé ! Mais ce sont mes répliques que tu es en train de me réciter là ! Où allons-nous si tu te mets à fulminer/féminister plus que moi ? »

Et la discussion s'est terminée dans des rires.

Mais j'y ai repensé. Et j'ai repensé aux cérémonies de mariage. Et même à l'idée de mariage.

Et je me suis rendu compte que c'est une idée qui me répugne. Pas nécessairement pour de grandes et belles raisons, ni pour de nobles idéaux. Juste parce que je ne supporterais pas que tout le monde sache que, quelques heures plus tard, j'aurais ma nuit de noces. Que, quelques heures plus tard, je serais nue avec un homme et que nous serions en train de faire l'amour. Et quand je dis tout le monde, c'est tout le monde, y compris les gens à qui on n'avouerait même pas qu'on fait de l'eczéma ou du pied d'athlète… Beurk !

Non, moi, la première fois, je veux que personne ne le sache. Je ne veux pas avoir à affronter un paquet de regards interrogateurs ou d'allusions grivoises. Je veux un peu d'intimité, ça ne devrait pas être trop difficile à comprendre !

***

Plus que cinq jours.

En panique, petite séance d'épilation, petit tour chez la coiffeuse, petite razzia dans les magasins. J'ai refait une provision de t-shirts, de shorts, de petites culottes et de soutiens-gorge.

En payant tout ça, j'ai repensé à ma mère, la fois où elle est allée à New York avec Jacques, la fois où, pour eux, c'était la première fois. La fois des dessous de dentelle. Je me souviens que j'avais trouvé ça un peu ridicule, ces achats, un peu bête. Et voilà que moi aussi je m'y mettais ! Je ne m'étais pas lancée dans la dentelle (ça pique, et je trouve que ça fait un peu trop madame), mais j'avais choisi des dessous légers et jolis, dans des couleurs pâles et jolies... C'est que je ne voulais pas être vue dans des culottes aux élastiques avachis, moi, ou dans des soutiens-gorge grisâtres !

(Pourquoi, mais pourquoi on n'a pas fait l'amour l'été dernier, quand je n'avais même pas eu le temps de penser à tous ces détails vestimentaires et vaguement sordides ?)

***

Encore trois jours.

François est venu, et je n'ai pas pu lui fermer la porte au nez. Pas parce que je n'aurais pas voulu, mais parce qu'il l'avait coincée avec son pied (il a vu trop de films policiers, ce gars-là).

« Je suis peut-être mauvais perdant, mais...

— Mauvais perdant ?! Perdant de quoi ? Pour être perdant, il aurait fallu qu'il y ait un concours, une compétition, quelque chose comme ça... À ce que je sache, ce n'est pas le cas.

— Tu sais bien que oui. »

Je n'ai pas répondu. Qu'il s'explique s'il voulait s'expliquer. Je ne lui faciliterais pas la tâche.

«Tu sais très bien qu'il y a une compétition entre Marek et moi.

— Non. J'aime Marek. Toi, je ne t'aime pas. »

Il a grimacé, mais il a continué.

« Mais ce n'est pas juste, comme compétition. Ce n'est pas juste qu'un gars qui s'appelle François Corriveau ait à lutter contre un fantôme romantique qui s'appelle Marek Kekchozski. Ce n'est pas de Marek que tu es amoureuse, c'est de l'idée de Marek. »

J'ai éclaté de rire.

« C'est toi qui as des idées romantiques. Amoureuse d'une idée ! Marek, ce n'est pas une idée, c'est un gars que je connais, que j'ai touché, qui m'a touchée, qui m'a caressée et embrassée, et pas mal mieux que toi, si tu veux savoir ! Un gars que je vais revoir dans trois jours, avec qui je vais passer sept semaines, sept semaines, tu m'entends, et on ne va pas jouer aux dames tout ce temps-là ! Je n'ai pas besoin de toi dans le décor, je n'ai pas besoin de toi tout court ! Je te l'ai déjà demandé, et ça n'a pas marché, mais je vais te le demander encore une fois : laisse-moi tranquille. Va-t'en. Ce n'est pas parce que tu m'aimes que ça veut dire que, moi, je t'aime.

— Je n'ai pas dit que je t'aimais. »

Long silence. C'était vrai, il ne m'avait jamais dit qu'il m'aimait.

« Mais… si tu me cours après comme ça… »

J'avais l'air fine, en train d'essayer de le convaincre qu'il m'aimait !

« Si je te cours après comme ça, c'est que je crois que je pourrais t'aimer et que tu pourrais m'aimer… si tu nous laissais une chance. »

Misère ! Tu parles d'un raisonnement. Ce gars-là me harcèle parce qu'il pense qu'il « pourrait » m'aimer !

« Va-t'en ! ai-je fini par crier avec colère. Si tu n'as même pas de bonne raison de me coller après comme la teigne, pourquoi tu ne me laisses pas tranquille ? »

Il est parti, après m'avoir lancé une dernière flèche :

« Tu voudrais que tout le monde t'aime. Tu fais tout pour te faire aimer. Mais quand ça marche, tu te sauves à toutes jambes. À quel jeu tu joues, au juste ? »

Je suis restée un long moment à regarder la porte fermée. À quoi je joue ? Si au moins je le savais !

Et, avec tout ça, mon « idée romantique » qui arrive dans moins de soixante-douze heures… Qu'est-ce que je vais faire, mais qu'est-ce que je vais faire ?

CHAPITRE 26

Finalement, j'ai fait ce que j'ai pu. Autrement dit, j'ai passé une soixantaine d'heures à me ronger les ongles et les sangs, j'ai piqué des crises de nerfs pour des tas de mauvaises raisons, j'ai changé de vêtements huit fois dans la demi-heure qui a précédé mon départ pour l'aéroport et, finalement, j'ai dû courir un bon coup pour attraper mon autobus pour Dorval.

Dans l'autobus, pour me donner du courage, je me suis répété, comme une formule magique ou comme une incantation, des vers de « La marche à l'amour », de Gaston Miron :

tu es mon amour
ma clameur mon bramement

(mon amour ma clameur mon bramement mon amour ma clameur mon bramement mon amour ma clameur mon bramement)

je marche à toi, je titube à toi, je meurs de toi

(je marche à toi je titube à toi je meurs de toi de toi de toi de toi de toi de toi de toi de toi de toi de toi de toi de toi de toi de toi de toi)

***

Il était plus petit que dans mon souvenir. Plus pâle. Moins « tourmenté ». Bref, plus banal que l'image que j'en avais gardée.

Et ça m'a déçue. Déçue et désorientée.

Où était Marek, *mon* Marek ? Où était mon Polonais exotique et troublant, mon « beau ténébreux » comme on dit dans certains livres ? J'avais devant moi un garçon sympathique, oui, mais ordinaire.

(J'ai pensé à François, qui croit que je suis amoureuse d'une idée, à François, qui est plus grand que Marek, plus beau aussi, à François, que j'ai vite essayé de chasser de mon esprit.)

Marek me regardait lui aussi sans dire un mot, et je me suis demandé ce qu'il voyait, de son côté. Une Cassiopée moins grande que dans son souvenir, peut-être, ou plus grosse, avec des cheveux plus raides, des seins plus… ou plutôt moins… (des seins qu'on ne remarque pas, quoi), des yeux plus petits, un nez plus visible… ?

On devait avoir l'air de deux amoureux réunis par une agence de rencontres, et qui se voient enfin en personne, après avoir échangé des photos particulièrement flatteuses et des lettres dans lesquelles chacun s'est décrit sous son meilleur jour. Et là, découragé ou peut-être même insulté, chacun se dit « Quoi ? C'est *ça*, l'amour de ma vie ? *Ça*, ma petite tourterelle roucoulante ou mon gros chien-chien d'amour ? *ÇA* ??? Remboursez ! »

À l'idée du remboursement, je n'ai pas pu m'empêcher de sourire. Et la tension est tombée. Marek et moi, on a enfin franchi les quelques pas qui nous séparaient depuis le début et qui semblaient infranchissables, et on s'est serrés fort, très fort, pas nécessairement comme des amoureux, mais au moins comme des amis heureux de se revoir.

« Cassiopée… Cassiopée… Ça a été long, tu ne trouves pas ? Trop long… »

Sa voix, au moins, était restée la même. Chaude, basse, rocailleuse, un peu hésitante. J'ai fait oui de la tête. J'étais émue. J'étais ravie. Je ne savais pas si je devais rire ou pleurer.

J'avais retrouvé Marek.

***

Le trajet entre l'aéroport et la maison a été épique.

Comme je voulais être seule pour accueillir Marek, j'avais refusé l'offre de ma mère, qui voulait m'accompagner à Dorval.

« Mais, Cass, comment vous allez revenir ?

— En autobus. S'il y a des autobus entre le centre-ville et l'aéroport, c'est pour que les gens s'en servent, non ?

— Oui, mais, les bagages ?

— On a des bras…

— Et la bicyclette de Marek ?

— Maman, arrête, veux-tu ! On va se débrouiller… »

Et on s'est débrouillés. En sacrant un peu par bouts, mais on s'est débrouillés. Avec la bicyclette, la tente, le sac à dos, le sac de couchage… Avec l'autobus et le métro, les chaînes de trottoir et les escaliers… Quand on a fini par arriver à la maison, on était épuisés, trempés de sueur, et bien contents d'être rendus.

« Merde ! s'est pourtant exclamé Marek en s'affalant de tout son long dans le salon. Je n'ai même pas pris le temps de regarder Montréal ! »

***

Il a eu l'occasion de se rattraper dans les jours suivants. Je l'ai traîné partout. Dans le Vieux-Montréal et sur le mont Royal, au Stade olympique et au Jardin botanique, au parc Lafontaine et sur la rue Saint-Denis, sur la piste cyclable du canal Lachine et dans les grands magasins… Et après nos expéditions, immanquablement, on s'arrêtait au Dairy Queen du coin de la rue et on se payait un énorme cornet de crème glacée molle nappée de chocolat.

***

Le soir, on met le point final à nos préparatifs de voyage. Itinéraire précis, répartition des bagages en fonction du poids et de l'utilité, planification des derniers petits achats. Et délire à deux sur ce que seront ces semaines de vacances.

On parle des baleines, bien sûr, et des îles de Mingan. On parle de la bicyclette. On parle de Québec, où on va passer deux jours au début de notre périple.

En fait, il n'y a qu'une chose dont on ne parle pas, et c'est de notre intimité physique pendant ce voyage. Ça plane dans l'air et sous nos mots, ça donne des allures de sous-entendus à toutes nos paroles (même les plus innocentes), mais pas une fois nous n'avons évoqué nos futurs ébats ou notre proximité charnelle dans la tente (ou ailleurs). C'est d'ailleurs bizarre, quand on songe aux excès que Marek s'est permis dans ses lettres… Le pire, c'est que cette réserve verbale se manifeste aussi dans nos rapports physiques… L'été dernier, dans l'île, nous nous touchions beaucoup, nous nous embrassions, nous nous caressions. Cet été, c'est à peine si nous nous touchons. Nous nous tenons parfois par la main, mais si peu… Et nous nous embrassons rapidement sur la joue.

C'est clair, il y a un malaise, mais je ne sais ni d'où il vient ni comment le faire disparaître.

Ça promet…

***

Petit journal, petit journal, dis-moi ce que me réserve l'avenir…

C'est demain que nous partons. Demain matin, à sept heures, nous prenons l'autobus pour Québec et nous nous lançons dans notre grande expédition.

Je devrais être heureuse. Je devrais avoir hâte.

Alors pourquoi est-ce que j'ai le goût de me sauver à toutes jambes, de préférence dans la direction opposée???

(Dans le fond, mon problème, c'est peut-être juste que je ne suis jamais contente. Peut-être que je vais passer ma vie à chialer contre tout et contre tout le monde. Joyeuse perspective…)

Petite consolation : on est au moins deux à s'inquiéter (peut-être même trois, avec Marek). Parce que ma mère s'inquiète, elle aussi. La lettre qui suit, et que j'ai trouvée sur mon oreiller il y a dix minutes, en est la preuve.

Cass, ma grande fille
(si j'osais, ce serait « Cass, ma petite fille »)

Cass, ma grande petite fille (est-ce que c'est un bon compromis ?)

Tu pars demain pour un grand voyage. Un grand voyage qui n'est pas juste long dans l'espace et dans le temps. Un grand voyage dont tu vas sortir changée, grandie.

Je sais que ça t'agace quand je me mêle de tes affaires, mais je vais m'en mêler quand même. Au moins pour te dire que je t'aime, que je te fais confiance et que je te souhaite de vivre les prochaines semaines le plus intensément possible. C'est une belle et grande chose que l'harmonie des corps… quand les cœurs et les esprits sont aussi en harmonie.

Je te souhaite ça (du fond du cœur, le plus sincèrement possible) et, en même temps, je t'avoue que ça m'inquiète. Je ne veux pas te servir du « Attends d'être mère, tu vas voir ce que c'est… », mais c'est vraiment depuis que je suis mère – depuis bientôt seize ans ! – que je comprends les angoisses de ma mère. « Ne rentre pas trop tard, ne bois pas trop, ne monte pas en voiture avec des amis qui ont bu, ne te laisse pas faire des choses, attention,

attention, attention… » J'ai essayé de ne pas trop t'achaler avec ce genre de remarques, j'espère que j'ai réussi (malgré l'envie qui parfois me démangeait de te mettre en garde contre tout – et tous).

Alors vas-y, fonce, va au bout de ton amour pour Marek – si c'est vraiment ce dont tu as envie. Et si tu te rends compte que tu n'en as plus envie… alors attends. On ne regrette jamais d'avoir attendu.

Bon, ça suffit, les conseils maternels. Bon voyage, Cassiopée. Sois heureuse.

Josée

P.-S. – N'oublie pas que je suis là, toujours, et toujours prête à t'aider si tu as besoin de moi.

« On ne regrette jamais d'avoir attendu », qu'elle dit, ma mère. Je ne suis pas certaine de partager son avis. Moi, ces jours-ci, j'aurais plutôt tendance à regretter de ne pas avoir fait l'amour l'été dernier, quand tout était tellement plus simple. Là, je me pose des questions sur tout, et en particulier sur mon amour pour Marek, sur le sens même du mot amour… Un beau fouillis, quoi !

Depuis quelque temps, j'ai l'impression que tout est plus compliqué qu'avant. Avant, les choses étaient blanches ou noires, bonnes ou mauvaises, permises ou défendues. Maintenant, tout baigne dans un gris plus ou moins sale. Je n'aime pas le gris. Je n'aime pas les incertitudes.

J'ai peur de ce qui m'attend.

***

Petite note tardive (je n'arrive pas à dormir… comme d'habitude) : je l'ai bien aimée, la lettre de ma mère (ou de Josée, comme elle l'a signée). Mais je me demande pourquoi il faut toujours que les choses importantes soient dites par écrit. J'ai souvent l'impression de vivre par correspondance (et ce n'est pas évident que c'est ça que je veux faire de ma vie).

CHAPITRE

27

J'ai toute la confusion
d'un fleuve qui s'éveille

Gatien Lapointe
Ode au Saint-Laurent

« Québec, berceau de la civilisation française en Amérique du Nord », dit mon guide touristique, qui ajoute que c'est la seule ville fortifiée au nord de Mexico et qu'elle a été la première ville nord-américaine à être inscrite sur la prestigieuse liste du patrimoine mondial de l'UNESCO.

J'étais fière de faire découvrir à Marek cette ville que j'avais l'impression de voir pour la première fois. J'y étais déjà allée, deux ou trois fois, mais jamais elle ne m'avait semblé si belle, si différente, si accueillante.

Pendant deux jours, nous avons donc joué aux touristes. Nous avons marché dans les petites rues tortueuses et abruptes, nous avons admiré le fleuve et le bout de l'île d'Orléans de la terrasse Dufferin, nous avons visité la Citadelle et sillonné les Plaines d'Abraham… Chaque fois que je le pouvais, c'est-à-dire pas très souvent, j'essayais de donner à Marek un peu de contexte historique. Rien de tel pour mesurer l'étendue de mon ignorance ! Je ne connais peut-être rien à l'histoire de la Pologne, mais je me rends compte que je ne suis guère plus ferrée dans l'histoire du Québec, ce qui est plus grave (et plus gênant!). Résolution (à peu près la millième de l'année) : étudier ça de plus près dès que j'en aurai l'occasion (et quoi encore?).

***

Québec, ça voulait aussi dire les premières nuits hors du domicile familial. Mais comme nous les avons passées à l'auberge de jeunesse, au milieu d'un paquet de monde, il ne s'est rien passé entre Marek et moi. Rien de sexuel, en tout cas.

Je dois dire que ça m'a plutôt soulagée.

***

Il y a à peu près deux cents kilomètres entre Québec et le Saguenay, et j'avais prévu couvrir cette distance en quatre jours.

Ça me semblait raisonnable, cinquante kilomètres par jour, pour ce début de voyage. Assez pour avoir l'impression d'avancer. Pas trop, pour nous permettre de nous habituer progressivement – et sans douleur – à nos bicyclettes et à notre nouveau rythme…

À l'aide d'une carte routière, j'avais donc fixé des étapes à peu près égales pour cette partie du voyage : Saint-Ferréol-les-Neiges, Baie-Saint-Paul, Port-au-Persil et enfin Tadoussac, de l'autre côté du Saguenay.

Mais j'avais compté sans les côtes et les bosses de Charlevoix, et, dès le deuxième jour, j'ai su qu'on ne réussirait jamais à atteindre le Saguenay en quatre jours.

« Tu ne savais pas que ce serait aussi montagneux ? m'a demandé Marek. Pourtant, ton amie Suzie… »

Oui, Suzie m'avait prévenue. Et ma mère, et Jacques, et même tonton Jean-Claude (qui est un mordu du vélo et qui m'a écrit une longue lettre pour me faire part de son expérience de cycliste dans cette région). Mais je croyais qu'ils exagéraient. Ou je me croyais plus en forme.

« Tu n'as pas pensé utiliser une carte topographique pour tracer notre itinéraire ?

— Une carte topographique ?

— Oui, tu sais, une carte à grande échelle, avec des courbes de niveaux, des indications sur le type de terrain... Le genre de cartes dont se servent les militaires pour... »

Soudain, il m'a énervée, Marek, avec ses questions et ses explications, et je lui ai lancé, très agressive :

« Je sais c'est quoi, une carte topographique ! On en a étudié une en sixième année. Ou en secondaire I, je ne sais plus. Mais pourquoi tu aurais voulu que je me serve d'une carte topographique pour faire notre trajet ? On n'est pas des militaires en train de planifier des grandes manœuvres, on est des touristes en vacances !!!

— Et à bicyclette, a précisé Marek sans paraître remarquer ma mauvaise humeur. C'est très utilisé, les cartes topographiques pour les voyages à vélo. Mais... (Là, il a eu un petit sourire avant de continuer, très gentiment.) Tu sais, ce n'est pas grave. Après tout, comme tu l'as dit, on est en vacances. Pourquoi se presser ? On n'a qu'à prendre plus de temps pour se rendre à Longue-Pointe, et c'est tout.

— Non, ce n'est pas tout ! ai-je crié. On doit être à Longue-Pointe dans treize jours, et ce n'est pas à ce rythme-là qu'on va y arriver ! »

Je criais, je tempêtais, je rageais contre Marek, contre les bicyclettes, contre le paysage qui devait être bien beau mais dont je ne voyais que les côtes, les côtes et les côtes.

Tout allait mal, dans ce voyage.

Pour commencer, j'étais menstruée. Ce n'est jamais bien drôle, mais c'est pire à bicyclette. À cause des crampes, des serviettes toujours inconfortables, de la difficulté sinon de l'impossibilité de trouver des toilettes convenables pour se changer. Et j'étais trop gênée pour en parler à Marek, ce qui n'arrangeait rien.

Ça ne s'est vraiment pas amélioré en chemin.

D'abord, Marek a voulu faire un détour par le cap Tourmente et la réserve du même nom (comme si on n'avait pas assez de huit cent cinquante kilomètres à franchir !). Ensuite, le même Marek avalait les kilomètres et les montées comme s'il avait fait ça toute sa vie. Or, c'était moi qui m'étais entraînée pendant des semaines, et pas lui. Lui, il me l'a avoué, il faisait vraiment du vélo pour la première fois de l'année. Il y avait de quoi rager, non ?

Je rageais donc.

***

J'ai continué de rager le soir, dans la tente, quand Marek a voulu s'approcher de moi.

« Touche-moi pas ! Je suis fatiguée, je suis menstruée, j'ai mal partout, et je veux juste une chose : dormir. Compris ? »

Sans un mot, Marek s'est éloigné.

Il n'avait pas l'air particulièrement ravi.

***

Finalement, on a mis six jours pour atteindre le Saguenay. Six jours de montées épuisantes et de descentes à se casser le cou. Six jours de râlage (de ma part) et d'émerveillement touristique (de la part de Marek).

C'est vrai qu'il y avait de beaux coins. Saint-Joseph-de-la-Rive, coincé entre fleuve et montagne. Les Éboulements, au charme un peu vieillot. Saint-Irénée, qui offre une vue spectaculaire. Et, un peu partout, de belles échappées sur le fleuve et des paysages à couper le souffle.

Encore fallait-il être d'humeur à les apprécier, ces beaux coins. Et je n'étais pas d'humeur à les apprécier.

Au début, Marek voulait me faire partager ses émois, et il me montrait ce qui l'avait impressionné. Mais ma froideur l'a vite refroidi, et, après, il a gardé ses enthousiasmes pour lui. Tant mieux.

Ou tant pis.

***

Si les journées étaient pénibles, les nuits n'étaient guère plus réjouissantes.

Depuis ses tentatives de rapprochement du premier soir, Marek se tenait à bonne distance (pour autant qu'on puisse être à bonne distance de quelqu'un dans une tente aussi petite). On était loin des folles étreintes auxquelles nous avions rêvé pendant des mois !

Ce qui m'étonnait le plus, dans tout ça, c'était le mutisme de Marek. Pourquoi ne se fâchait-il pas ? Pourquoi n'exigeait-il pas d'explications ? Il devait attendre que je fasse les premiers pas, mais je n'étais pas encore disposée à faire les premiers pas.

***

Les cours de géographie devraient se donner sur le terrain, pas dans des livres.

Ainsi pour le Saguenay. Les livres ont beau dire qu'il s'agit d'un fjord, ce n'est qu'en le voyant du pont du traversier que j'ai compris réellement ce que ça voulait dire. Et c'était impressionnant.

Pour la première fois depuis des jours, je me suis laissé aller à admirer le paysage. Je me suis laissé émouvoir. Je me suis laissé envahir par la beauté qui m'entourait.

J'ai tourné la tête vers Marek, qui regardait fixement cette succession de montagnes s'enfonçant dans l'eau, et j'ai dit : « C'est beau. » Marek m'a regardée, surpris (c'étaient les premiers mots aimables que je prononçais depuis quatre jours !). Puis il a hoché la tête. « Oui. »

C'est tout. Quelques mots échangés (trois, très précisément), un regard, une douceur qui n'était pas là avant.

Nous venons d'entrer dans une espèce de trêve. Et ce n'est pas désagréable.

***

Après le Saguenay, je ne sais pas si ce sont mes mollets qui se sont endurcis ou le paysage qui s'est amolli, mais j'ai trouvé le trajet moins ardu.

Ce n'est pas encore le calme plat, loin de là, mais je commence à pouvoir profiter du paysage. Ce n'est pas trop tôt !

***

Sault-au-Mouton, Betsiamites, Baie-Comeau…

Nos étapes s'allongent, nous couvrons sans trop de difficultés soixante, ou même quatre-vingts kilomètres dans une journée.

Le soir, allongés dans la tente, nous parlons un peu. Pas de nous (pas encore) ni de nos relations, mais du trajet, du voyage, de ce qui nous a frappés pendant la journée. La couleur du ciel ou de la mer, la fraîcheur de la brise, un oiseau, un point de vue particulièrement saisissant. Nous rebâtissons avec beaucoup de prudence une intimité que je croyais perdue.

D'ailleurs, en parlant d'intimité…

Je vais avoir seize ans dans trois jours. Et, dans mon esprit comme dans tous mes projets, j'étais certaine de perdre ma virginité avant mon anniversaire. C'est idiot, je sais, mais ça m'agace d'arriver à la date fatidique sans que ce soit fait. Et, à la faveur de notre intimité péniblement reconquise, je me demande s'il ne serait pas encore temps de…

***

Avant de quitter Baie-Comeau, j'ai jeté un coup d'œil à la carte.

« Marek, regarde... »

Marek s'est approché.

« Dans une centaine de kilomètres d'ici, il y a un endroit appelé Pointe-des-Monts. C'est un peu en dehors de la route, tu vois, sur le bord de l'eau, là où le fleuve s'élargit brusquement. Il paraît même que c'est là que finit le fleuve et que commence le golfe. En deux jours, on peut y être. J'aimerais ça être là pour le 19. »

Je ne sais pas si Marek se souvient de la date de mon anniversaire, mais il n'a pas réagi quand j'ai mentionné le 19. Néanmoins, il a trouvé que c'était une bonne idée de passer une nuit à Pointe-des-Monts, « là où commence le golfe ». Là où je commencerai ma dix-septième année. Là où, si tout se passe comme je le souhaite, je commencerai ma « vie de femme ».

***

Le trajet entre Baie-Comeau et Godbout était particulièrement accidenté, et nous n'avons franchi qu'une trentaine de kilomètres le premier jour. Heureusement, nous nous sommes repris le lendemain, et nous avons atteint Pointe-des-Monts en fin d'après-midi, ce qui nous a permis de visiter le phare, très beau, avant de chercher un endroit pour monter la tente.

Nous avons soupé, nous avons fait la vaisselle, nous nous sommes un peu attardés dehors pour regarder les étoiles. C'est quelque chose que nous n'avions pas fait, jusqu'à maintenant. Peut-être pour ne pas avoir à comparer avec les observations d'étoiles de l'année dernière, avec les émotions et les sensations de l'année dernière...

Puis nous sommes entrés dans la tente.

J'ai fait ma tentative de séduction.

Et j'ai eu droit à mon premier flop amoureux et sexuel.

Tout s'est passé tellement vite que je me demande encore ce qui est arrivé. Peut-être que, de l'écrire, ça va m'aider à comprendre. (Ça va aussi m'aider à passer le temps pendant que Marek est parti « marcher un peu ».)

Toute la journée, j'ai pensé à la nuit à venir. Maintenant que je m'étais décidée, j'avais hâte de passer aux actes. Je me disais que ça ne pourrait qu'améliorer les choses entre Marek et moi, dissiper le malaise qui nous collait à la peau et qui nous rendait malheureux. Ce malaise né de mes colères, de nos silences, de notre gêne, de nos désirs plus ou moins avoués mais jamais réalisés… Et puis, me disais-je, nous n'avions pas attendu tous ces mois pour continuer à attendre je ne sais quoi (Godot, peut-être, comme dans une pièce de théâtre dont je ne connais que le titre).

Aussi, dès que nous avons été dans la tente, ai-je entrepris de mettre fin à cette attente.

Une petite hésitation. Une grande respiration. Et… action !

Je me suis approchée de Marek, je me suis collée contre lui, j'ai glissé une main sous son t-shirt (sur sa poitrine), l'autre derrière son dos (mais par-dessus le t-shirt), et je l'ai embrassé.

Marek a d'abord eu l'air complètement perdu (il y avait de quoi, après les jours qu'on venait de vivre !), mais il s'est vite repris et il m'a rendu mes caresses.

Je retrouvais avec émotion le corps de Marek. Je retrouvais les sensations qui m'avaient tant troublée l'année dernière. Et j'étais bien.

Et puis, tout à coup, après le désordre des vêtements enlevés sans précautions, après le rapprochement de nos corps enfin nus, j'ai senti la douleur. Une douleur sourde, vrillante, une douleur qui partait de très loin et qui m'a coupé le souffle

Je ne m'y attendais pas. C'est bête, mais je n'avais pas pensé que ça pouvait faire mal. Ce n'était pas insupportable, non, mais surprenant. Et c'est la surprise, plus que la douleur, qui m'a fait repousser Marek en disant « Attends ». Je ne voulais pas tout arrêter. Je voulais juste reprendre mon souffle, me décrisper un peu avant de continuer.

Le problème, c'est qu'attendre, c'était plus facile à dire (pour moi) qu'à faire (pour lui). Marek a juste eu le temps de me lancer un regard désespéré avant de m'éjaculer sur la cuisse.

« Merde. »

Ça, c'est le commentaire le plus intelligent que j'aie trouvé à faire. « Merde. » Et sur un ton sinistre, en plus !

Je me suis assise, intriguée par ce liquide blanchâtre que j'avais l'occasion d'observer pour la première fois. Il y en avait moins que ce que j'avais imaginé, et je me suis dit que c'était quand même bizarre que des millions de spermatozoïdes se baladent là-dedans et angoissent tellement tout le monde.

J'ai levé les yeux vers Marek pour lui faire part de ma géniale réflexion… mais, en voyant son visage, j'ai décidé de garder mon génie pour moi (ou pour une autre occasion). Les yeux rivés au sol, il avait l'air à la fois honteux et profondément malheureux.

« C'est pas grave », ai-je murmuré.

Comme encouragement, c'était mince. Marek n'a même pas réagi.

« Non, mais, c'est vrai, ai-je repris avec plus de force. Je suis sûre que ça arrive à des tas de gens et que, dans quelques années, en y repensant, on va même trouver ça drôle.

— Ça, je n'en doute pas, a répondu sèchement Marek. Quand *tu* vas parler de ça à tes futurs amants, dans quelques années ou avant, je suis sûr qu'*ils* vont trouver ça très drôle ! »

Le ton sur lequel il a dit ça ! Le mépris qu'il a réussi à faire passer dans sa voix !

J'ai senti la colère m'envahir.

« Ce n'est pas ça que j'ai voulu dire, Marek Kupczynski, et tu le sais très bien ! Tu ne vas quand même pas en faire une affaire d'honneur ou de virilité, non ? (Brusquement, j'ai eu besoin de sacrer.) Merde de merde d'ostie de bordel de merde ! (Décidément, quand on commence à sacrer, plus moyen d'arrêter.) Ce n'est quand même pas la fin du monde ! On est ici, au beau milieu de rien, tous les deux tout seuls dans une tente. On faisait l'amour pour la première fois. Ça m'a fait mal. J'ai été surprise que ça fasse mal et je t'ai demandé d'attendre un peu. J'ai le droit, non? Et toi, tu n'étais pas dans un état pour attendre un peu. Tu as le droit, non? Ça tombait mal, je te l'accorde. Ça n'a pas donné le dénouement parfait, je te l'accorde aussi. Et puis après? On oublie tout et on recommence, c'est tout. Même que... (Là, j'ai eu une idée que, sur le coup, j'ai trouvée elle aussi géniale – il faut croire que le génie, comme les sacres, ça vient en série.) Même qu'on va recommencer tout de suite, si tu veux. (J'ai sorti, du fin fond de mes connaissances, un renseignement que j'avais puisé dans un livre sur la sexualité.) Il paraît que les hommes jeunes, ça peut faire l'amour je ne sais trop combien de fois de suite. Alors, allons-y, et plus vite ce sera fait, mieux ce sera! »

Quand j'y repense, je n'en reviens pas. J'étais là, toute nue, les poings sur les hanches, en train d'engueuler Marek! Lui non plus, d'ailleurs, n'a pas eu l'air d'en revenir. Il m'a regardée d'un drôle d'air, il a haussé les épaules avec résignation, il est revenu s'étendre près de moi, et nous avons repris nos caresses. Mais le moment était passé, le moment presque magique où nous nous étions sentis proches, et nos caresses reflétaient plus de bonne volonté que de passion. À chaque minute qui passait, à chaque caresse que nous échangions, je sentais Marek s'impatienter, s'énerver, se décourager, s'éloigner...

Finalement, il s'est écarté.

« Inutile de continuer, ça ne marche pas. Désolé, Cass, mais je ne dois pas faire partie de tes jeunes hommes très virils qui peuvent faire ça un nombre incalculable de fois. »

Il semblait prendre un plaisir morbide à se meurtrir avec chacun de ses mots, et ça m'a fait mal pour lui. J'ai voulu le rassurer, lui dire que ça ne changeait rien pour moi.

« C'est pas grave... », ai-je commencé.

Mais Marek m'a interrompue.

« Oui, je sais, a-t-il dit d'une voix grinçante. C'est pas grave, et on va trouver ça très drôle dans quelques années. » Il a eu une espèce de ricanement un peu cassé. « Tu te répètes, Cass, tu te répètes. Il va falloir que tu trouves d'autres phrases toutes faites pour remonter le moral de tes amants lamentables, ma pauvre Cass, si c'est pour t'arriver souvent. Ton répertoire est plutôt limité. »

C'est là-dessus qu'il s'est rhabillé et qu'il est sorti marcher un peu – il y a de cela des heures.

Moi, je suis restée dans la tente, à pleurer et à me demander ce que j'avais fait pour que ça se passe aussi mal, ce que j'aurais pu faire pour que ça tourne autrement.

Je m'en voulais de n'avoir pas su consoler Marek, mais j'en voulais aussi à Marek d'avoir réagi en macho offensé. L'été dernier, il n'aurait pas réagi comme ça. L'été dernier, entre nous, il y avait de la tendresse, de l'humour, de la complicité. Cet été, tout ce qu'il y a, c'est de la gêne et des silences.

Mais qu'est-ce qui nous est arrivé ?

Qu'est-ce qui nous arrive ?

Et quand est-ce que Marek va revenir ?

CHAPITRE

28

Quand Marek a fini par revenir, j'ai fait semblant de dormir. D'abord parce que c'était plus simple comme ça. Ensuite parce que je suis d'une lâcheté tout à fait exemplaire, c'est bien connu.

Et, le lendemain matin, nous avons repris notre voyage et notre routine. Comme s'il ne s'était rien passé. Avec juste un peu plus de tension et de gêne dans l'air. Belle journée pour un anniversaire!

Vous vous demandez peut-être pourquoi on continue, pourquoi on persiste à faire ce voyage qui ne veut plus rien dire… Moi aussi.

Par obstination, peut-être. Par crainte du ridicule. Pour ne pas perdre la face. Pour ne pas avoir à répondre à des tonnes de questions.

Peut-être aussi parce que, quelque part au fond de notre tête ou de notre cœur, on espère encore qu'il existe quelque chose entre nous, on croit encore à l'aventure des baleines, à la magie de la mer…

***

Rivière-Pentecôte, Clarke City, Sept-Îles, Moisie, Sheldrake…

Il y a quatre-vingt-dix-huit kilomètres entre Moisie et Sheldrake. Quatre-vingt-dix-huit kilomètres de route nue, de solitude et de silence. Quatre-vingt-dix-huit kilomètres coupés seulement par le passage des rivières Moisie, du Sault Plat et Manitou.

Maintenant que le relief s'est assagi, c'est le vent qui contre nos efforts, le vent qui nous ralentit, le vent qui exige que nous donnions tout ce que nous avons.

Au moins, pendant ce temps-là, on n'a pas besoin de parler. Et on ne pense pas trop.

***

Le panneau était on ne peut plus discret, mais nous l'avons repéré de très loin.

Longue-Pointe.

Insensiblement, nos jambes se sont mises à pédaler avec plus de vigueur. Une quinzaine de tours de roues. Une dizaine. Deux ou trois. Stop.

Nous avons mis pied à terre en même temps, plus heureux que nous ne voulions l'avouer.

Nous avions réussi ! Nous avions parcouru, à la seule force de nos mollets, tour de roue après tour de roue, les huit cent cinquante kilomètres séparant Québec de Longue-Pointe. Nous avions peiné, nous nous étions découragés… mais nous l'avions fait !

Un grand sourire aux lèvres, Marek a lancé un « Youppi ! » retentissant. De mon côté, j'ai fait quelques steppettes. Puis, sans trop savoir comment, on s'est retrouvés dans les bras l'un de l'autre.

C'était la première fois qu'on se touchait, depuis la soirée de Pointe-des-Monts, et c'était bon. Le cœur de Marek battait à grands coups désordonnés, et le mien suivait comme il pouvait. Et puis, pendant qu'on tanguait comme ça lentement au beau milieu de la route 138, Marek s'est mis à parler contre mon oreille.

« Je suis un horrible imbécile.

— Oui.

— Macho.

— Oui.
— Rempli d'idées toutes faites sur la virilité.
— Oui.
— Imbu de ma personne.
— Oui.
— Renfermé.
— Oui.
— Rancunier.
— Oui.
— Et sans aucun humour.
— Exactement. »
Marek a eu un petit rire.
« À toi, maintenant. »
J'ai réfléchi deux minutes.
« Je suis une horrible imbécile.
— Oui.
— Aux idées démodées sous mes dehors modernes.
— Oui.
— Lâche et boudeuse.
— Une bêtise à la fois, Cass, ça a plus de poids. Oui.
— Oui quoi ?
— Oui, lâche et boudeuse.
— Ah. Pleine d'idées toutes faites sur la sexualité.
— Oui.
— Chialeuse.
— Oui.
— Et qui prend tout au tragique.
— Oui, oui, oui. »

À ce moment, un coup de klaxon impatient nous a séparés. Il est vrai qu'on bloquait complètement la route, avec nos bicyclettes étalées par terre direction est, et nous-mêmes enlacés direction ouest.

Nous avons ramassé nos cliques et nos claques et dégagé la voie avant de nous regarder avec des sourires tremblants et des yeux pleins d'eau.

« Ouf ! ça fait du bien ! a dit Marek.

— Non », ai-je répondu.

Air vaguement inquiet de Marek.

« Et pourquoi "non" ? a-t-il demandé avec circonspection.

— Parce que je commençais à trouver ça monotone, tous ces "oui"... »

Il a failli m'étouffer à force de m'embrasser.

***

« Toi, tu m'aimes/Et je t'aime/Nous on s'aime/Oui, on s'aime... »

C'est en chantant à tue-tête et en faussant à qui mieux mieux que nous avons atteint l'hôtel Gravel, où nous passerons les six prochaines nuits.

(Ah ! un vrai lit !)

***

Un vrai lit, oui, et des nuits que j'anticipais follement érotiques et amoureuses. Après tout, Marek et moi, on venait comme qui dirait de se retrouver... et je commençais à en avoir assez de cette défloration à laquelle je pensais tout le temps et qui ne se faisait jamais (ça devenait obsédant, cette histoire, sans compter que je n'ingurgitais quand même pas mes petites pilules depuis des mois juste pour la beauté de la chose et que c'est un peu frustrant d'être prête pour rien et protégée de risques inexistants).

Et, quand nous sommes entrés dans notre chambre et que nous avons retrouvé avec délices les joies et les grandeurs de la civilisation (ah ! un bain ! ah ! des toilettes ! ah ! une table et des chaises ! ah ! une télévision ! ah ! ah ! ah !), j'étais sûre que ce serait ce soir-là qu'on allait enfin consommer notre amour. (Je le trouve bizarre, ce mot, « consommer » – surtout quand on songe qu'il veut aussi dire manger ou acheter... Disons qu'associer l'amour et la nourriture, ce n'est peut-être pas une mauvaise idée, mais l'associer à des transactions bassement mercantiles et plus ou moins honnêtes, ça, ça me répugne assez.)

Mais, avant d'en arriver à la consommation, nous avons fait un petit détour du côté des éclaircissements et des explications – ce qui n'était sans doute pas une mauvaise chose, compte tenu de tout ce qui avait mal été jusque-là.

Nous ne sommes pas remontés au déluge, mais presque. Autrement dit à cette période où Marek, dans mes lettres, a senti une espèce de froideur, de désintérêt.

« J'ai cru… je ne sais pas ce que j'ai cru. Que tu avais rencontré quelqu'un d'autre, je suppose. Ou que tu ne voulais plus rien savoir de moi. Mais comme, en même temps, tu continuais à me parler des projets pour cet été… je ne savais plus quoi penser. Mais ce n'était pas juste par rapport à toi que je ne savais pas quoi penser. J'étais complètement perdu. New York me pesait. L'Amérique me pesait. La famille me pesait. Karol est de plus en plus pénible ; Andrzej, de plus en plus Polonais en exil ; Sophie… Sophie ne pense qu'à sa musique et à ses problèmes de cœur, ce qui revient à peu près au même. »

Je suppose que s'il n'avait pas parlé de Sophie de façon aussi énigmatique, je lui aurais parlé de François. Ou peut-être pas. Peut-être que je cherchais juste une excuse, n'importe laquelle, pour ne pas lui parler de François.

« Sophie ? Sophie est amoureuse ? Je ne savais pas ça… Mais de qui ?

— De Julio Morelli », a répondu Marek en m'observant attentivement.

Il m'a fallu un moment pour me rappeler qui c'était. Et quand je m'en suis souvenue, je n'ai pu retenir un mouvement de surprise.

« Son… son professeur de violoncelle ?

— Lui-même.

— Mais… »

Je me suis arrêtée à temps, mais Marek a deviné que j'allais dire une bêtise et il l'a complétée à ma place.

« Il pourrait être son grand-père, oui. »

Je suis restée silencieuse. Je revoyais Julio Morelli, que j'avais rencontré au concert de Sophie, en octobre. Je revoyais son sourire très doux, ses yeux très clairs, ses rides et ses cheveux blancs qui lui faisaient comme une auréole...

«C'est étrange, ai-je fini par dire en cherchant un peu mes mots. Théoriquement, je suis d'accord avec l'amour envers et contre tous, et surtout envers et contre tous les préjugés... Les questions d'âge, de race, de sexe, de richesse, tout ça. Si tu m'avais demandé si je croyais possible qu'une femme aime un homme beaucoup plus âgé qu'elle, ou le contraire, je t'aurais dit oui. Et je me serais crue très large d'esprit, très ouverte... Et là, tu me parles de Sophie, de ta sœur Sophie, de mon amie Sophie, et ma première réaction, ça a été de réagir comme n'importe quelle matante arriérée et bornée: il pourrait être son grand-père! »

J'ai eu le goût de pleurer, brusquement.

« Je me déçois, Marek, si tu savais comme je me déçois ! »

Marek m'a prise par les épaules et m'a secouée doucement.

« Hé ! n'en fais pas un drame ! Il y a assez de chez nous où ça en fait un, et un gros. Pas besoin de t'y mettre toi aussi... »

J'ai réussi à sourire.

« Andrzej, il prend ça comment ?

— En vrai père de roman. Il parle même d'enfermer Sophie dans une école en Suisse et de poursuivre Julio pour je ne sais quoi.

— Détournement de mineure, peut-être ?

— Même pas, et c'est probablement ce qui frustre le plus Andrzej : Julio n'a jamais touché Sophie, il ne s'est jamais rien passé entre eux – mais ce n'est certainement pas parce que Sophie n'a pas essayé.

— Et Julio ? ai-je voulu savoir. Comment il réagit ?

— Il est malheureux. Il aime Sophie, c'est certain, et pas comme une élève particulièrement douée ou comme la petite-fille qu'il n'a pas eue. Non, il l'aime comme une femme, comme la femme qu'elle sera dans quelques années, comme la femme qu'elle est déjà, dans le fond, sauf pour l'âge. Et ça le rend profondément malheureux. Il essaie d'écarter Sophie, il essaie de lui faire entendre raison, mais il sait très bien qu'il est en train de se briser le cœur.

— Tout ça pour une question d'âge. Une ridicule question d'âge. »

Et là, je me suis mise à pleurer. À cause de Sophie et Julio, bien sûr. Mais je pleurais aussi sur moi, sur mes doutes et mes craintes, sur mes hésitations.

J'aurais sans doute passé un certain temps à m'apitoyer ainsi sur mon sort si Marek ne s'était pas mis à me caresser, tout doucement d'abord, puis de façon plus précise.

« Ah ! ce petit orteil gauche, a-t-il murmuré en mordillant l'orteil en question. Et ce mollet, et ce genou, et cette cuisse… »

Cette fois, ça y est, me suis-je dit.

Mais je me trompais. Ça n'y était pas. Pas du tout, même, car, après des préliminaires très prometteurs, et au moment décisif de la pénétration, comme on dit dans les livres sérieux, Marek a stoppé net et s'est assis dans le lit.

« Je ne peux pas », a-t-il dit.

Merde, me suis-je dit intérieurement. Mais pas tout haut, surtout pas tout haut (je me méfie, maintenant, et je tourne ma langue sept fois dans ma bouche avant de parler). Qu'est-ce qui se passe, cette fois ?

Marek a répondu à ma question muette.

« J'ai peur de te faire mal. »

Il avait peur de me faire mal. C'était gentil, ça, et même assez touchant, mais ça ne nous avançait pas à grand-chose. J'ai donc entrepris de le convaincre que ça ne me ferait pas mal, que ce qui avait provoqué mon recul, l'autre jour, ce n'était pas tant la douleur que la surprise, et que, parlant de surprise, j'avais été surprise, à l'aéroport de le trouver plus petit que dans mon souvenir, et que, etc. Bref, d'une chose à l'autre, de fil en aiguille et du coq à l'âne, nous avons eu une discussion très intéressante, et assez drôle par moments, mais pas des plus excitantes sexuellement. Aussi avons-nous fini par nous endormir (ah ! le confort de ce lit !), de fort bonne humeur et collés l'un contre l'autre, mais toujours vierges (oui, je sais, ça devient *très* obsédant).

***

Le lendemain, j'ai proposé quelque chose à Marek.

« Notre problème, dans le fond, c'est qu'on est obsédés par l'idée de performance, c'est-à-dire de pénétration. (Ça, c'est le genre de chose que la mère de Suzie répète tout le temps.) Ce qu'il faudrait, c'est qu'on oublie la performance. J'ai déjà lu quelque part que chez certains peuples, les Japonais, je crois, mais je ne suis pas sûre, l'homme et la femme apprennent à se connaître et à se donner du plaisir pendant un certain nombre de jours, huit ou dix ou douze, je ne sais trop, avant de passer à la pénétration. Pour nous, tu ne trouves pas que ce serait une bonne idée ? »

J'étais assez fière de mon idée, et je me demandais même comment je n'y avais pas pensé avant.

Avant de répondre, Marek m'a prise par le cou pour me souffler dans les lunettes (j'haïs ça) et m'embrasser sur le bout du nez (ça, j'aime bien).

« J'admire ta mémoire en ce qui concerne tes lectures. La précision des détails, surtout, m'épate et me crapahute (?) au plus haut point… Allons-y donc pour l'amour à la japonaise… si tant est que ce soit à la japonaise ! »

Ça, c'est bien Marek. « Crapahuter » et « si tant est que ».

Comme si on n'avait pas assez de problèmes sans ça…

CHAPITRE

29

Tout est relatif. Einstein l'a dit avant moi, et des tas d'autres aussi, avec des théories toutes plus compliquées les unes que les autres, mais ça fait toujours plaisir d'apporter sa petite preuve personnelle à toutes ces élucubrations hautement scientifiques.

Ma petite preuve, c'est ceci : après seize jours de bicyclette et de camping (ça a pris deux jours de plus que prévu), et huit cent cinquante kilomètres de montées exténuantes, de descentes suicidaires et de vent fou, tout, mais alors *tout* prend des allures de farniente, y compris un stage d'observation de baleines qui exige qu'on se lève tous les matins vers les 5 heures 30 (vous avez bien lu : cinq heures trente). Disons que, dans d'autres circonstances, ce n'est pas exactement ce que j'aurais appelé un farniente.

(Petite note linguistique et prononciative : « farniente », à l'origine, c'est un mot italien qui signifie « ne rien faire ». Intéressant, non ? Ce qui m'embête, c'est que je ne suis pas sûre de sa prononciation en français. Ma mère le prononce comme si c'était un mot français ; Jacques, comme si c'était un mot italien. Moi… moi, je m'arrange pour ne pas le prononcer et je me contente de l'écrire.)

Donc, notre farniente baleinier, il commence immuablement comme ceci :

– 5 h 30 : lever
déjeuner
préparatifs divers

– 7 h : rendez-vous au bout du quai pour le départ en bateaux pneumatiques

– 7 h 30 : halte à l'île aux Perroquets (observation, repérage des souffles des baleines et, par la même occasion, localisation de celles-ci)

– 8 h : départ de l'île aux Perroquets et...baleines, nous voici !

Et, toute la journée (c'est-à-dire jusqu'à ce qu'on n'en puisse plus, ou jusqu'à ce que le vent se lève, ou jusqu'au coucher du soleil), on est en mer et on observe les baleines.

La Station possède plusieurs canots qui, en tout, peuvent accueillir une trentaine de personnes. Mais tous ces canots (et tous ces gens) ne restent pas collés les uns aux autres toute la journée. Non, tout de suite après le départ de l'île aux Perroquets, les bateaux s'éloignent les uns des autres afin de couvrir le plus de territoire possible. Ils sont toutefois liés deux par deux par radio, et les deux bateaux appariés restent toujours dans le même coin, ce qui leur permet de se rejoindre rapidement en cas de problème.

Une fois qu'un souffle est repéré, on s'en approche (pas trop, pour ne pas effrayer les baleines) et on coupe les moteurs. On se laisse dériver doucememt en attendant de voir remonter les baleines. On ne sait jamais trop où elles vont réapparaître. Quand enfin il y en a une qui fait surface, chacun, dans le bateau, se met à la tâche : certains ont pour mission d'en photographier la queue ou le flanc (ça dépend de l'espèce), d'autres inscrivent sur une feuille de plexiglas (familièrement et anglaisement appelée *slate*) les données dictées par les biologistes du groupe. Ces photos et ces indications aident les chercheurs à identifier les individus (les baleines, quoi), à les reconnaître d'année en année, à étudier leur comportement et leurs déplacements. Bref, elles permettent d'en savoir plus sur les individus, sur les espèces et même sur la place des espèces au sein de l'habitat marin (ouf! j'ai bien appris ma leçon!).

C'est un travail de très longue haleine, et j'admire ceux qui s'y adonnent, avec rigueur et ténacité, depuis des années. Je ne sais pas si j'aurais cette patience, cette... J'allais dire « cette abnégation ». Parce que tout le monde, ici, est bien conscient que ce sont les futures générations de chercheurs qui trouveront (peut-être!) des réponses aux questions qu'on se pose maintenant et qui sauront enfin le pourquoi et le comment des comportements des baleines.

Moi, je dois avouer que, pour le moment, le pourquoi et le comment des comportements des espèces ne me préoccupent guère, pas plus d'ailleurs que les hypothétiques conclusions des chercheurs des années 2050. Je me contente de m'agripper aux bords du canot et d'admirer, les larmes aux yeux, mes premières apparitions de baleines.

Les mots me manquent pour décrire le spectacle des baleines en train de plonger. J'en avais déjà vu dans des documentaires (et dans *La Grenouille et la Baleine*, que j'ai bien dû voir une demi-douzaine de fois au cours de mes séances de gardiennage), mais, entre les voir dans un film et les voir en vrai... il y a un monde, et même un univers. C'est à la fois plus grandiose, plus écrasant, plus émouvant... et plus doux. D'une douceur et d'un calme déroutants.

Les baleines étant ce qu'elles sont (grosses, énormes, gigantesques, etc.), je m'étais imaginé que ces excursions en mer auraient un côté tumultueux et héroïque. Je m'attendais à des vagues immenses, à des bruits assourdissants, à des émotions violentes. Et j'ai été particulièrement surprise quand je me suis rendu compte que tout se fait en douceur, avec une grâce et une fluidité parfaites. Ces bestioles, qui peuvent peser des dizaines de tonnes, se déplacent très délicatement, et leur plongeon ne fait naître qu'une petite vague paresseuse.

En fait, ce qu'il y a de plus bruyant, dans tout ça, c'est leur souffle quand il explose à la surface.

J'ai fait part de mon étonnement à Martine, qui s'occupe de la Station avec Richard, et elle m'a dit que je n'étais pas la première à réagir comme ça (pourquoi est-ce que je ne réussis jamais à avoir une réaction originale?). Elle a ajouté que l'observation des baleines, en fait, c'est une activité particulièrement calmante.

Calmante, oui, je suis d'accord. Ce qui ne veut pas dire que ce soit reposant, du moins quand on participe à toutes les activités, y compris à celles de la soirée.

Tous les soirs, après le souper, Marek et moi, on retourne à la Station, où on continue à parler baleines, à voir baleines, à penser baleines… Il y a des visionnements de vidéos ou de diapositives, des discussions sur les baleines et sur les observations de la journée, des compilations de données dans de grands livres et dans des ordinateurs… Je sais que Richard, Martine et les autres biologistes de la Station travaillent jusqu'à onze heures et demie ou minuit tous les soirs, mais, Marek et moi, on serait incapables de survivre à un régime pareil. Nous rentrons à l'hôtel vers dix heures, complètement épuisés, tout juste capables de nous déshabiller avant de nous écraser dans le lit et de nous endormir. Même l'amour à la japonaise est (cochez la réponse appropriée):

❏ relégué aux oubliettes;

❏ remis aux calendes grecques;

❏ reporté à une date ultérieure.

Autrement dit, on oublie ça pour l'instant et on verra plus tard.

***

«Splish… Splish, ma petite, où est Splash? Hein, ma toute belle?»

Pour quelqu'un qui ne serait pas au courant, c'est le genre de propos qui peut avoir l'air complètement capoté, d'autant plus que la question, chuchotée d'une voix câline, s'adresse à une baleine à bosse particulièrement imposante.

C'est que, voyez-vous, les chercheurs, ici et ailleurs, attribuent des noms et des numéros aux baleines qu'ils photographient. Ils publient ensuite des catalogues des baleines ainsi identifiées, échangent ces catalogues et peuvent suivre les déplacements des baleines.

Mais revenons à Splish (et à l'absence de Splash). Certaines baleines sont des habituées du golfe, et les chercheurs, sans même consulter leurs catalogues, les reconnaissent au premier coup d'œil. Il y a ainsi Ébène, dont la nageoire caudale est d'un noir… d'ébène. Jigsaw, particulièrement curieux et excité. Pseudo, dont le deuxième baleineau, Alfa, est mort l'année dernière, noyé dans un filet au large de Sept-Îles… Splish et Splash, eux, occupent une place privilégiée dans le cœur de l'équipe de Longue-Pointe : il s'agit de la première paire de baleines cataloguée en 1980. L'année dernière, ils ont été revus tous les deux, mais pas ensemble. Et, cette année, aucun signe de Splash. Lui serait-il arrivé malheur ?

Il faut voir Richard, Martine, Peter, Mike, Christian, Benoît et les autres s'exciter pour une baleine aperçue il y a six ans et repérée de nouveau dans le golfe, ou pour une autre depuis longtemps identifiée ailleurs et qui décide de pousser une pointe jusqu'ici pour la première fois. D'ailleurs, à ce sujet…

Je suis tout excitée, moi aussi, depuis que j'ai appris qu'il existe une certaine Cassiopée, inconnue jusqu'à maintenant par ici, mais qui est une habituée du golfe du Maine.

C'est Richard qui m'a d'abord parlé d'elle.

« Cassiopée… C'est vraiment ton nom, ça ? m'a-t-il demandé avec son léger accent d'Américain ici depuis longtemps.

— Oui.

— Il y a une baleine à bosse qui porte ce nom-là. Cassiopeia. Je devrais avoir une photo d'elle, dans un des catalogues. Tu veux la voir ? »

Évidemment que je voulais la voir ! Ce n'est pas tous les jours que j'ai l'occasion de rencontrer des baleines qui s'appellent Cassiopée (ni même des humaines, je dois bien l'admettre). Je n'allais pas rater cette chance.

Richard a donc été chercher son catalogue et il m'a présenté mon homonyme.

Disons tout de suite qu'un catalogue de baleines, ce n'est pas ce qu'il y a de plus excitant. (Marek me fait remarquer qu'un catalogue, ce n'est pas fait pour être excitant, c'est fait pour être utile, et que celui-là, bien que peu excitant pour une profane comme moi, est des plus utiles. Admettons.) Ma Cassiopée apparaissait donc sur une petite photo noir et blanc d'environ 3 cm x 3 cm (si au moins ça avait été des pouces...), plutôt anonyme au milieu d'une quinzaine d'autres baleines à bosse... Et on n'en voyait que la queue !

« Euh... Tu n'aurais pas une photo un peu plus... personnalisée ? »

Richard m'a regardée comme si je tombais de la Lune (ou de Cassiopée...).

«Personnalisée ? Mais, pour un rorqual à bosse, il n'y a rien de plus personnel que la queue ! »

Ça, c'est un des mystères que je n'ai pas encore réussi à percer. Parfois les experts parlent de baleines, parfois ils parlent de rorquals. D'après ce que je comprends, c'est la même chose. Alors, pourquoi faut-il que chaque fois que j'utilise le mot « baleine » eux me répondent en parlant de « rorqual », et que chaque fois que je me risque à utiliser « rorqual » ils me répondent en utilisant le mot « baleine » ? Mais, bon, ce n'était pas sur cette distinction que portait la discussion mais sur la queue des baleines à bosse, qui varie d'un individu à l'autre et permet de les identifier aussi sûrement que les empreintes digitales chez les humains. Ça, je le savais, ça faisait déjà deux jours que tout le monde me rebattait les oreilles avec ces fameuses queues/empreintes digitales. Mais ma baleine à moi, ma Cassiopée, j'aurais bien aimé lui voir les yeux, ou le sourire, quelque chose d'intime, quoi ! Mais je n'ai pas osé dire ça à Richard, qui m'intimide un peu et qui m'aurait sans doute prise pour une parfaite imbécile (il y a déjà assez de Marek qui rit de moi chaque fois que je sors quelque chose de ce genre-là). Je me suis contentée de m'extasier sur Cassiopée et sur sa queue.

« Tu as raison, oui, tu as raison, elle a une queue très, euh, très personnelle. »

(Là, je sens que j'ai passé pour une parfaite imbécile.)

« Est-ce que tu comprends au moins pourquoi elle s'appelle Cassiopée ?

— Eh bien… », ai-je commencé sans trop de conviction. Et puis j'ai trouvé.

« Sa queue ! Sa queue ! (Il n'y a pas à dire, j'avais fait une découverte !)

— Oui, sa queue ? m'a encouragée Richard.

— Elle est… Elle est comme dentelée du côté gauche. Elle n'est pas régulière. Et cette dentelure, la forme de cette dentelure, c'est l'espèce de *w* tout croche de la constellation Cassiopée ! » ai-je crié, particulièrement fière de moi et de mon sens de l'observation.

Richard a eu la gentillesse de ne pas me faire sentir que j'aurais pu trouver ça plus tôt, et il m'a expliqué que cette dentelure avait sans doute été causée par le coup de dents d'un épaulard.

J'en ai avalé de travers. Cassiopée, ma Cassiopée, attaquée par un vilain épaulard ! Évidemment, si ça ne lui était pas arrivé, elle ne s'appellerait pas Cassiopée et ne serait donc pas « ma » Cassiopée…

Avant de me perdre dans mon raisonnement, j'ai voulu obtenir quelques précisions.

« Et cette Cassiopée, vous l'avez déjà vue par ici ?

— Jamais.

— Mais il n'est pas impossible qu'elle soit déjà venue ?

— Non, ce n'est pas impossible.

— Il n'est pas impossible non plus qu'elle vienne un jour ?

— Non.

— Par exemple d'ici trois jours?

— Là, tu en demandes un peu beaucoup, tu ne trouves pas?»

Non, je ne trouvais pas, mais je n'ai même pas essayé d'en convaincre Richard. Après tout, le Maine, c'est presque à côté. Et que sont quelques centaines de kilomètres pour une baleine habituée à en couvrir des milliers chaque année?

En tout cas, au cours des prochaines sorties en mer, que personne ne s'avise de me parler de rorquals communs, de petits rorquals ni même de baleines bleues. Ce qui m'intéresse, ce sont les baleines à bosse, et particulièrement la partie gauche des queues des baleines à bosse. Je cherche un genre de dentelure, voyez-vous, une espèce de *w* un peu raté…

***

Aujourd'hui, double déception.

D'abord, pas de Cassiopée à l'horizon (sauf moi, mais je n'étais pas à l'horizon, et, de toute façon, je ne compte pas). Même l'autre, la céleste, disparaissait sous une épaisse couche de nuages (lâcheuse!).

Ensuite, ce n'est pas de sitôt que je vais entendre chanter les baleines. Quand j'ai appris ça, ce matin, je n'ai d'abord pas voulu le croire.

«Mais Daphnée, dans *La Grenouille et la Baleine*, elle enregistrait quoi? Des sirènes, peut-être?

— Non, mais *La Grenouille et la Baleine*, c'était peut-être un peu romancé, tu ne crois pas?»

En entendant ça, j'ai un peu pensé poursuivre quelqu'un en justice. Le problème, c'est que je ne savais pas qui. Le producteur? Le réalisateur? L'auteur? Daphnée elle-même? Les baleines du film? Les baleines de la vraie vie?

«Mais il me semble que c'est connu que les baleines chantent…

— Bien sûr qu'elles chantent. Mais pas ici.

— Ah... Et pourquoi ?

— On croit que le chant est un comportement amoureux précédant l'accouplement... et les baleines ne s'accouplent pas ici.

— Ah bon ! Et elles font quoi, ici ?

— Elles mangent. »

Et c'est vrai. Elles mangent. Elles mangent, elles bouffent, elles bâfrent (c'est un mot que j'ai appris de Marek). Des tonnes et des tonnes de krill (des petits organismes à l'allure de crevettes) et de petits poissons comme le capelan. Il paraît qu'à cause des marées et des courants le fleuve est un garde-manger fantastique pour les baleines et que c'est ce qui les attire ici chaque année. L'hiver, elles vont batifoler, chanter, copuler et mettre bas dans les mers du Sud. Et, l'été, elles viennent ici et elles mangent, un point c'est tout. (Il n'y a pas à dire, c'est romantique).

On parlait de ça, tantôt, Marek et moi, et, soudain, Marek a éclaté de rire. Et c'est en riant qu'il m'a expliqué sa nouvelle théorie : selon lui, il y a par ici quelque chose dans l'air qui refroidit l'ardeur sexuelle des baleines... et la nôtre. « Notre problème, a-t-il clamé, n'est ni psychologique, ni physique, ni physiologique, mais ENVIRONNEMENTAL ! Et il serait grand temps que les savants les plus savants se penchent là-dessus, au même titre que sur les pluies acides ou sur la pollution du Saint-Laurent. »

***

La nuit dernière, j'ai rêvé à François. J'ai rêvé que je faisais l'amour avec François et que j'aimais ça.

Ça m'a réveillée, et je n'ai pas réussi à me rendormir. J'étais troublée. Maintenant que ça va bien avec Marek, je n'aime pas que mes rêves me trahissent. Ou le trahissent.

***

« Alors, jeune homme, les baleines du golfe, elles ressemblent aux baleines de tes livres ? »

Marek a souri, il a admis que non, peut-être pas vraiment, mais que, de toute façon, c'était beaucoup mieux en vrai. Puis il s'est approché de Richard, et ils se sont lancés tous les deux dans une discussion qui a duré des heures.

Je n'avais jamais vu Marek comme ça, éperdu d'admiration et de confiance. Suspendu aux lèvres de Richard, buvant ses paroles, il avait l'air d'un petit garçon qui vient de rencontrer le Père Noël (ou Superman, ou n'importe quel héros de conte de fées ou de bande dessinée).

Ça aurait pu être ridicule, mais, au contraire, c'était beau de les voir ainsi parler de leur passion commune.

Passion. Depuis quelques jours, c'est un mot qui me trotte dans la tête. J'ai l'impression que c'est un mot-clé, un mot magique qui ouvre des tas de portes et qui explique bien des choses.

C'est Martine qui l'a prononcé, ce mot, en parlant des baleines, et de Richard, et de leur travail commun. Et, quand elle parlait de passion, il y avait comme de la passion dans sa voix et dans ses yeux.

« La première fois que je suis venue, c'était il y a six ans. J'avais entendu parler de cet Américain un peu bizarre qui étudiait les baleines dans le golfe, tout seul, en canot pneumatique, sans grands moyens. C'était fou, c'était beau. J'ai eu le goût de le connaître. »

Depuis, elle est revenue chaque année, gagnée elle aussi par la passion de la mer et des baleines.

Et elle n'est pas la seule. Toute l'équipe de chercheurs est constituée de passionnés, de mordus qui, après être venus une fois, n'ont pu s'empêcher de revenir et de revenir encore.

« Il n'est pas rare que nos visiteurs deviennent nos amis, m'a confié Martine avec un beau sourire. Et c'est très bien comme ça. »

Oui, et je ne serais pas étonnée qu'un dénommé Marek devienne un de ces visiteurs qui ne peuvent s'empêcher de revenir… Déjà, il fait des projets pour l'été prochain, pour ses prochaines années d'études. Il songe à s'inscrire au College of the Atlantic, à Bar Harbor, dans le Maine. Il y a là un autre fou de baleines, un certain Katona, que tout le monde ici tient en grande estime et qui, selon Richard, serait ravi d'avoir un étudiant comme Marek.

Je vois Marek faire des plans. Je l'encourage. Je suis contente pour lui.

Mais, en même temps, je ne peux empêcher une petite voix désagréable, au fond de moi, de répéter, avec de plus en plus d'insistance : « Et moi, et moi, et moi ? »

Et moi, qu'est-ce qui va m'arriver ? Et moi, vas-tu m'oublier ? Et moi, je vais faire quoi, pendant ce temps-là ?

J'ai l'impression d'être laissée pour compte. Et je n'aime pas ça.

Oh ! et puis, un coup partie, je peux bien dire que ce n'est pas seulement par rapport à Marek que se fait entendre ma petite voix détestable. C'est aussi par rapport à toute cette histoire de passion.

J'ai l'impression d'être la seule, ici, qui ne soit pas passionnée par quelque chose. Par les baleines, par la mer, par l'amour… Je veux de la passion, je veux me donner à quelque chose, je veux vivre jusqu'au bout quelque chose qui en vaille la peine. Et, au lieu de ça, je reste toujours à la surface des choses. Je les effleure, je m'y attarde un petit moment puis je passe à autre chose. Je reste collée au sol, à ras de terre, comme… comme un ver de terre.

Ces jours-ci, je m'intéresse aux baleines. Je m'y intéresse vraiment, je crois, et pas juste à cause de Marek (quoique, si on creusait un peu…). Mais je ne leur accorde pas cette attention passionnée, un peu maniaque que leur donnent les autres. J'aime autant ce qui entoure les baleines (le soleil, le vent, la mer, l'espace, le calme) que les baleines elles-mêmes. Et je sais fort bien que je ne passerais pas des mois ou des années à les surveiller afin de percer tous leurs secrets.

Mais qu'est-ce que je fais sur terre, pouvez-vous bien me le dire ?

S'il vous plaît, quelqu'un (qui ?) donnez-moi de la passion. Au moins un peu. Un tout petit peu. (Comme si « un tout petit peu » de passion, c'était de la passion ! Décidément, je devrais me contenter de mon rôle de ver de terre.)

***

Cinq jours, ce n'est jamais bien long, mais c'est encore plus court à Longue-Pointe, même pour les vers de terre. Et même les vers de terre sont tristes d'avoir à partir, je peux en témoigner…

Après le stage, nos plans de vacances étaient restés assez vagues. Il nous restait trois bonnes semaines à passer ensemble, et on avait un peu parlé de revenir à Montréal à bicyclette, ou de revenir jusqu'à Sept-Îles puis de prendre l'avion pour les îles de la Madeleine… En fait, on ne savait pas trop ce qu'on ferait. On attendait de voir… Et, pendant notre trop court séjour à Longue-Pointe, une idée a quand même eu le temps de germer.

« Après tout, la Côte-Nord, ce n'est pas seulement Longue-Pointe et la Station de recherche des îles Mingan inc., ai-je dit un beau matin.

— Non, a admis Marek. C'est aussi Sept-Îles.

— Et Havre-Saint-Pierre.

— Et Mingan.

— Et la Réserve du parc national de l'Archipel-de-Mingan.

— Et Port-Cartier.

— Et Natashquan.

— Et Blanc-Sablon.

— Alouette… On reste dans le coin ?

— On reste dans le coin. »

Après avoir consulté une carte, on s'est rendu compte que Port-Cartier ou Blanc-Sablon, ce n'était pas vraiment « dans le coin », mais que, pour ce qui était des autres suggestions, il y avait peut-être de l'avenir. Surtout du côté de la Réserve du parc national de l'Archipel-de-Mingan…

Quelques jours auparavant, on avait rencontré un couple d'Australiens qui, selon leurs propres paroles, venaient de vivre « the very best thing that ever happened to them », autrement dit l'expérience de leur vie, le boutte du boutte, le nirvāna : trois jours de solitude et de vie sauvage dans une des îles de l'archipel, et avec la bénédiction des autorités, par-dessus le marché !

En y repensant, Marek et moi, on s'est mis à rêver.

Une île à nous tout seuls… Ce serait bien, non ?

Une fois de plus, nous sommes allés aux renseignements.

***

Demain après-midi, un bateau va nous laisser à l'île Quarry, et il ne viendra nous y reprendre que soixante-douze heures plus tard.

Le ver de terre que je suis a l'impression d'avoir des ailes (très agréable impression, pour un ver de terre)… Étais-je une chenille qui s'ignorait ? Serais-je devenue papillon ?

CHAPITRE 30

La première femme étrangère
Et le premier homme inconnu
La première douleur exquise
Et le premier plaisir panique

Paul Éluard
Poésie ininterrompue

Prenez un bout de paradis terrestre, enlevez les pommes et les serpents, ajoutez un soupçon de toundra, quelques grains de sel, un mélange de Robinson Crusoé (sans Vendredi) et d'Adam et Ève (ou d'un autre couple célèbre : Roméo et Juliette, Elizabeth Taylor et Richard Burton, Suzie Lambert et Marc Gagnon…), brassez vigoureusement, laissez reposer soixante-douze heures, et vous aurez une petite idée (très très petite), de ce que nous sommes en train de vivre, Marek et moi.

C'est la mer, le vent, le ciel et le soleil.

C'est le début et la fin du monde.

C'est aussi un pincement au cœur quand le bateau nous a laissés dans l'île et a commencé à s'éloigner. C'est l'inquiétude un peu fiévreuse qui m'a prise à la pensée de ces trois jours d'intimité parfaite, de ces trois jours où, peut-être, comme dit Éluard, il y aurait plaisir panique, il y aurait douleur exquise…

***

En bons Robinsons que nous sommes, nous avons d'abord exploré notre île.

Munis du feuillet explicatif remis par les autorités de la Réserve, nous avons tenté de reconnaître les caractéristiques de la tourbière et celles de la lande du centre de l'île « dont le paysage évoque la toundra ». J'ai toujours aimé le mot « toundra », et je me souviens que, vers l'âge de huit ou neuf ans, je m'étais bien juré d'aller voir un jour ce que recouvrait ce mot étrange et si beau. Alors, à défaut de vraie toundra, pourquoi ne pas aller voir de quoi a l'air notre pseudo-toundra… D'après les experts qui ont rédigé le feuillet, c'est un univers fragile, facilement perturbé, et qui abrite des plantes rares telles que la dryade de Drummond (ah oui ?) et le cypripède jaune (pourquoi pas ?). Heureusement qu'il y a des petits dessins pour nous aider à démêler tout ça !

Au sud de l'île, nous avons découvert de ces formations calcaires particulières aux îles de Mingan qu'on appelle des « pots de fleurs ». Ce sont des formes sculptées par le vent et la mer, de monumentales figures nées du gel et du dégel. C'est magnifique, fragile, un peu effrayant. En les regardant, je me suis souvenue d'une réflexion qui me venait souvent, quand j'étais petite, à propos d'un arbre, ou d'un bosquet, ou d'un nuage qui se déformait lentement : cela n'a jamais existé ailleurs qu'ici, cela n'existera jamais ailleurs qu'ici, en ce moment. Et, aujourd'hui comme autrefois, j'ai eu le goût de pleurer. Jamais ailleurs, jamais avant, jamais après. Jamais pareil. Jamais comme cela, qui déjà n'est plus pareil. À cause d'un oiseau qui passe, ou d'un tremblement de la lumière, ou de nous qui changeons.

***

Nous avons monté la tente avant de faire un feu avec le bois tout débité fourni par le Service canadien des parcs (merci, Service canadien des parcs).

« Il ne manque que Sophie et son violoncelle, ai-je fait remarquer au bout de quelques minutes.

— Tu tiendrais vraiment à ce qu'elle soit là ?

— Non, mais… violoncelle et feu de camp, ça allait bien ensemble, non ? »

Nous avons parlé un peu de Sophie.

« Finalement, Sophie, son histoire avec la musique et avec Julio, c'est aussi une histoire de passion.

— Oui, bien sûr que c'est une passion. Mais pourquoi tu dis *aussi* ? »

Alors, après un court silence, et avec beaucoup d'hésitations, je lui ai parlé de mes craintes et de mon presque désespoir lorsque je me suis rendu compte que tout le monde, sauf moi, avait une passion. Je lui ai même parlé de mes idées de ver de terre.

Marek a ri.

« Dans une pièce de Hugo (Victor, de son prénom), il y a un personnage qui se compare à un ver de terre amoureux d'une étoile. Mais c'est bien la première fois que j'entends parler d'une étoile qui se change en ver de terre.

— Ne ris pas.

— Je ne ris pas. Je souris, et encore… Tu sais, je n'ai jamais vraiment pensé à tout ça, mais il me semble que la passion, ça ne se force pas. Je veux dire… ça nous tombe dessus, ça nous enveloppe, ça nous envahit, et tout ce qui nous reste à faire, c'est de nous laisser porter par elle, et d'essayer d'aller encore plus loin… Toi, tu n'as peut-être pas encore trouvé ce qui sera *ta* passion. En attendant, tu cherches, tu découvres des choses…

— En attendant, en attendant… Et je vais attendre jusqu'à quand, à ton avis ? Jusqu'à trente ans ? Jusqu'à cinquante ans ? Jusqu'à quatre-vingt-six ans, pour finalement me rendre compte que ma passion, c'est le macramé ou le bingo ? Et si je meurs avant d'avoir trouvé, hein, qu'est-ce que tu en dis ?

— J'en dis qu'au moins tu l'auras cherchée.

— *Big deal* ! »

Nous sommes restés silencieux un moment. Marek a ajouté une bûche dans le feu. Et puis, la passion m'ayant amenée à penser à l'amour, j'ai demandé, un peu gênée :

« Marek…

— Oui ?

— Toute cette année…

— Oui ?

— Est-ce que… Enfin, est-ce que tu as pensé à d'autres filles ? Je veux dire, as-tu eu, je ne sais pas, moi, as-tu eu du désir pour d'autres filles ? As-tu… as-tu embrassé d'autres filles, as-tu couché avec d'autres filles ? »

Marek m'a regardée, complètement abasourdi.

« Quoi ? Mais non, voyons ! Pour que ça arrive, il aurait fallu une certaine… une certaine disponibilité, disons. Il aurait fallu que je ne pense pas à toi, que je ne t'aime pas. Ce n'était pas possible. Tu occupais, tu occupes encore toute la place disponible. C'est tout. »

Merde, ai-je pensé. Merde quoi ? Je n'espérais quand même pas qu'il me dise qu'il avait couché avec la moitié de la ville de New York, non ? Eh bien, c'est-à-dire que…

À ce moment-là, je me suis rendu compte que ça m'aurait soulagée qu'il me dise qu'il avait pensé à d'autres filles que moi (pas besoin de coucher avec, mais, enfin…). J'aurais pu lui avouer mes pensées inavouables envers François, j'aurais pu lui dire que je m'étais sentie perdue, moi, et troublée par un autre. Mais là… Là, je me sentais juste plus infidèle, plus coupable, plus honteuse, plus hypocrite… Plus ver de terre, quoi.

Quand Marek a rouvert la bouche, ça n'a pas été pour me demander comment, moi, de mon côté, j'avais vécu tous ces mois, mais pour me demander si, ce soir, l'amour à la japonaise, ça me dirait quelque chose.

J'ai feint un enthousiasme que je ne sentais guère.

Oui. Oui, ça me disait quelque chose.

Avant de réintégrer la tente et de passer à l'amour à la japonaise, nous avons éteint le feu très soigneusement.

***

Le lendemain, nous nous sommes éveillés dans un brouillard dense et humide. On n'y voyait pas à trois mètres. C'est bizarre, cette impression d'être dans un nuage égaré.

« Ça fait un peu science-fiction, tu ne trouves pas ? m'a demandé Marek, qui trouvait ça plutôt drôle.

— Oui, peut-être, ai-je répondu, moi qui trouvais ça moins drôle. Ne t'éloigne pas, surtout ! »

Il ne s'est pas éloigné. Nous avons déjeuné l'un à côté de l'autre, puis nous avons fait un peu d'exploration à l'aveuglette en nous tenant par la main.

J'ai été bien soulagée quand le soleil s'est enfin décidé à se montrer le bout du nez, derrière une île qui est peut-être l'île Niapiskau (selon Marek) ou l'île du Fantôme (selon moi).

***

« Regarde celle-là, Marek ! Et celle-ci ! »

Installés précairement sur des rochers surplombant la mer, nous examinions des algues. L'eau était d'une pureté extraordinaire et nous permettait de plonger notre regard jusqu'au fond.

Jamais je n'avais vu des algues au naturel, si je peux dire. Pour moi, des algues, c'était des choses vaguement écœurantes, brunâtres et visqueuses, que je contournais avec dédain quand j'en apercevais sur la plage, rejetées là en tas par la mer.

Mais à présent, fascinée, je les regardais onduler dans l'eau, je notais leurs différences, leurs nuances, je m'émerveillais de leur diversité.

« Ça s'appelle comment, ces petites boules ? ai-je demandé à Marek. Tu le sais ? »

Il ne le savait pas. Pas plus qu'il ne savait comment se reproduisent les algues, ni comment elles se nourrissent.

« Dis donc, Cass, a-t-il fini par me dire, toi qui te cherches une passion, tu pourrais consacrer ta vie aux algues. Devenir une algologiste ou quelque chose comme ça. »

Algologiste. Le mot est bizarre, et ça m'étonnerait que le métier existe, mais pourquoi pas ?

***

Le deuxième soir. Un soir paresseux. Paresseux et frisquet. D'où un autre feu. Toujours pas de violoncelle, mais des tas d'étoiles au-dessus de nos têtes.

Marek et moi, on ne parlait pas beaucoup. Mais on se touchait beaucoup. Après tout, l'amour à la japonaise, ça ne se fait pas obligatoirement dans une tente. Sa peau sentait bon. Un peu le sel, un peu la sueur, beaucoup lui.

« Tu sens bon. »

On l'a dit en même temps, et ça nous a fait rire.

« Tu goûtes bon.

— Ah oui ?

— Oui. Ici. Et ici. Et là. »

Ça, c'était respectivement mon poignet, mon cou et l'arrière de mon genou, dans le creux, et en remontant vers la cuisse.

« Oh. »

Et là, insensiblement, nous sommes passés de l'amour à la japonaise à quelque chose qui était à la fois plus grave, plus doux, plus profond, plus nous.

« Je te fais mal ? »

Oui, non, ça n'avait aucune importance, et c'est ce que je lui ai dit.

***

Je ne me suis pas évanouie, je n'ai pas hurlé de plaisir, je ne suis pas devenue complètement hystérique.

« Tu crois que je suis normale ? ai-je demandé à Marek.

— Je crois que tu n'es pas normale du tout. Je crois même que tu es tout à fait anormale et extraordinaire. Ça te va comme réponse ? »

Je ne savais pas trop comment l'interpréter, mais ça avait l'air gentil. J'ai dit que ça m'allait.

***

Plus tard, une fois dans la tente, à cause du temps frisquet qui devenait carrément froid (l'amour a beau nous tenir au chaud, il y a des limites), je me suis dit que tout ça était bien agréable, et je me suis demandé pourquoi ça avait pris tant de temps, et pourquoi ça avait été si difficile d'en arriver là.

Mais peut-être que c'était si bon maintenant justement parce que ça avait été difficile… Comment savoir ?

***

Beaucoup plus tard, au moment où j'ai décidé de ne même plus essayer de combattre le sommeil, j'ai eu la vision d'une baleine à queue dentelée en train de rôder dans les parages. À moitié endormie, j'ai grommelé en direction de Marek :

« Ce serait bien que Cassiopée soit dans le coin, cette nuit. »

Pour tout commentaire, je n'ai obtenu qu'une espèce de râle qui était sans doute un ronflement.

***

« On est plus beaux qu'avant, tu ne trouves pas ? ai-je demandé à Marek le lendemain matin.

— Eh bien, disons que tu es plutôt échevelée et que ça ne te va pas trop mal… »

Je lui ai tiré la langue, et nous avons éclaté de rire en même temps.

Je ne sais pas si on était vraiment plus beaux, mais une chose est sûre, on était de meilleure humeur. On n'arrêtait pas de rire et de se taquiner (et de se livrer à des ébats joyeux un peu partout dans l'île – eh oui ! en plein jour et en plein air).

« J'ai trouvé, a d'ailleurs déclaré Marek à la fin de la journée. Ce qui nous bloquait, c'était les espaces clos. On a besoin de l'air libre, nous, pour être bien. C'est tout.
— Ça va être pratique en plein mois de janvier…
— De toute façon, en janvier, on ne se voit pas.
— C'est censé me remonter le moral, ça ? »

***

Mais toute bonne chose a une fin, paraît-il, et le bateau qui devait venir nous chercher ne nous a malheureusement pas oubliés. Nous avons quitté notre île à regret, la gorge serrée et les yeux brumeux.

Une fois à terre, j'ai dit à Marek que je voulais acheter une carte postale.

« Pour qui ?
— Pour Suzie. »

Et sur la carte postale, quand on a fini par trouver des cartes postales, je n'ai écrit que quelques mots : « Finalement, ce que ça nous prenait, c'était une île déserte… »

Je n'ai même pas signé.

CHAPITRE

31

je ne sais plus très bien ce que j'attends de moi
ou qui j'attends
mais je sais que la terre s'égare sous mes pas

Marie Savard
Sur l'air d'Iphigénie

Si la vie était un roman, mon histoire s'arrêterait là, sur la carte postale envoyée à Suzie, ou sur le sourire esquissé par Suzie au moment où elle lira cette carte.

Et ainsi la boucle serait bouclée entre une île et une autre île, entre un été et un autre été, entre les baleines musicales de Michel Rivard et la baleine Cassiopée qui est peut-être passée du côté de l'île Quarry, une nuit, à l'insu de tous, pour que se trouvent réunies, une fois, une seule et belle fois, les trois Cassiopée – celle du ciel, celle de la mer et celle de la terre (moi!), dont le corps s'ouvrait pour la première fois sous le corps de Marek.

J'aime cette image. J'aime croire en cette constellation verticale formée par les trois Cassiopée, en cette union mystérieuse de la nuit, de la mer, du ciel et d'une fille pourtant bien ordinaire.

Mais la vie n'est pas un roman. Les boucles ont tendance à se défaire, à traîner comme des lacets mal noués. Et moi, j'ai une fâcheuse tendance à m'enfarger dans ces petits bouts qui dépassent un peu partout.

Tout ça pour dire que…

***

Qu'en sortant du magasin de souvenirs, ma carte postale à la main, je suis tombée sur François. François Corriveau.

La surprise m'a à peu près tout coupé : la voix, le souffle, les bras et les jambes. La surprise, oui, et aussi une curieuse sensation au niveau de l'estomac. Je suis restée dans le cadre de porte, immobile, muette, les yeux ronds et les jambes molles. Je sentais la présence de Marek, juste derrière moi, et son incompréhension profonde (et bien naturelle) de la situation.

« Qu'est-ce… qu'est-ce que tu fais là ? » ai-je fini par articuler d'une voix qui semblait venir d'ailleurs.

François a porté son regard sur Marek, rapidement, avant de répondre.

« Je suis venu te voir. »

J'aurais voulu sortir de la torpeur stupéfiée où j'étais. J'aurais voulu prendre un ton enjoué pour répondre. J'aurais voulu dire « Ah oui ? Quelle bonne idée ! Permets-moi de te présenter Marek… » J'aurais voulu prendre tout ça à la légère, comme quelque chose de tout à fait normal, comme une visite d'un copain à une copine. On voit ça tous les jours, non ?

Mais j'étais incapable de prendre ça à la légère, incapable de trouver ça normal.

J'étais déboussolée, bouleversée, et furieuse.

Furieuse contre François, qui débarquait comme ça sans crier gare et qui venait tout chambouler. Furieuse contre Marek, qui restait planté là sans rien dire. Et surtout furieuse contre moi, qui n'avais pas osé parler de François à Marek, moi qui me laissais troubler par si peu, moi qui me sentais coupable sans même savoir auprès de qui je devais m'excuser.

« Tu as fait je ne sais trop combien de kilomètres juste pour venir me voir ?

— Oui.

— Tu es venu au beau milieu de rien, en pleine Côte-Nord, juste pour me voir ?

— Oui.

— Mais tu n'aimes même pas ça, la campagne !!! »

J'ai hurlé ma dernière phrase. Je pense que je voulais l'assommer avec, lui faire tourner les talons et le faire disparaître.

« Non, mais toi, je t'aime. »

Tout pour arranger les choses, quoi.

« La dernière fois, tu disais que tu ne savais pas si tu m'aimais.

— Disons que je suis un peu plus fixé maintenant. »

De mieux en mieux. Et, avec tout ça, Marek qui continuait à se taire. Je l'ai regardé. Il était pétrifié. Blanc, figé, complètement perdu.

« Je ne comprends pas, a-t-il fini par murmurer. Ou plutôt si, j'ai bien peur de comprendre. Mais… »

Il n'a pas terminé. Il a avalé sa salive, il a passé une main sur ses yeux, il s'est tourné vers moi et il m'a fait un sourire très triste.

« Pourquoi tu ne m'en as pas parlé ? »

Bonne question, ça, pourquoi je ne lui en avais pas parlé. Moi-même je n'arrêtais pas de me la poser.

« Je n'ai pas osé. Peut-être que je ne voulais pas te faire de peine. Peut-être… peut-être que, dans le fond, je ne savais même pas quoi dire. »

Il a digéré ça un moment avant de poursuivre.

« Et quand, dans tes lettres, j'ai senti comme un éloignement, c'était à cause de… de… »

Il a eu un geste vers François.

« De François, oui.

— Et si… François… Si François n'était pas venu, il se serait passé quoi ? On aurait continué encore quinze jours ensemble, on aurait fait l'amour encore quelques fois, et puis tu serais rentrée à Montréal, tu aurais retrouvé François et tu aurais passé le restant de l'année en sa compagnie ? »

François était lui aussi immobile. Et très attentif.

« Je… je ne crois pas.

— Tu ne *crois* pas ?

— Je ne sais pas. »

Je n'osais les regarder ni l'un ni l'autre. Nous sommes restés un moment silencieux, tous les trois. Silencieux, immobiles, de vraies statues.

Soudain, j'en ai eu assez de ce silence, de cette immobilité, de cette attente un peu absurde dans laquelle nous étions tous plongés. Il fallait réagir, agir, faire quelque chose ! Pas rester là plantés comme des piquets.

« Mais faites quelque chose, bordel ! Battez-vous, ou battez-moi, ou cassez quelque chose ! N'importe quoi, mais quelque chose ! »

Ils n'ont toujours pas réagi, et je les ai enfin regardés tous les deux, à tour de rôle, si différents et si semblables. Tous les deux malheureux, tous les deux en attente. Je les aimais tous les deux. Je ne les aimais ni l'un ni l'autre. Je ne savais pas.

J'ai senti la colère m'abandonner. À présent, j'étais juste fatiguée. Fatiguée et étrangement détachée.

« Écoutez. Ça n'a pas d'allure comme situation. Faites quelque chose. Décidez quelque chose. Tirez-moi à pile ou face s'il le faut, mais qu'on en finisse une fois pour toutes. »

Puis je me suis éloignée vers la plage, bien décidée à attendre que tout ça se passe. Sans moi, de préférence.

***

Évidemment, mes deux soupirants ne m'ont pas laissée partir comme ça.

« Ce n'est pas à nous de… », a commencé François.

« Il n'y a que toi qui… », disait au même moment Marek.

Et ils se sont tus en même temps, un peu embarrassés, chacun laissant à l'autre l'occasion de continuer.

J'ai failli rire, tellement c'était ridicule de les voir ainsi, prévenants, polis, bien élevés.

« Il n'y en a pas un de vous deux qui pourrait être odieux? ai-je fini par demander. Odieux, désagréable, déplaisant. Ça me faciliterait beaucoup la tâche. »

Mais aucun des deux ne semblait disposé à me faciliter la tâche.

« On ne va quand même pas se mettre à jouer *Jules et Jim*, version Côte-Nord ! »

Marek n'avait jamais vu le film, alors François et moi, on le lui a raconté.

«Je vous le dis tout de suite, ai-je tenu à préciser en terminant, je n'ai pas du tout l'intention de me prendre pour la Catherine du film. »

Tout le monde est resté pensif un moment.

Puis François a repris la parole.

« Sans aller jusque-là, a-t-il dit, sans aller jusqu'aux relations plutôt fluctuantes du film, on pourrait peut-être... Je veux dire, on pourrait peut-être tout mettre sur *hold* pour le moment. Passer de bons moments tous les trois, en amis, en copains, attendre que la situation se tasse un peu et nous apparaisse plus claire. »

Marek n'avait pas l'air enchanté (il faut dire que, dans cette histoire, il était plutôt perdant). Mais il n'a rien dit.

Moi, ça faisait un peu mon affaire, de ne pas avoir à prendre de décision tout de suite, de revenir à un semblant de normalité, d'oublier tout ça pour l'instant.

J'ai dit que j'étais d'accord.

Marek a haussé les épaules.

C'était décidé.

CHAPITRE

32

Et voilà pourquoi, depuis trois jours, on fait tout à trois. Sauf l'amour, qu'on ne fait pas du tout. Je suis tout aussi incapable de le faire avec les deux à la fois que de le faire en alternant. Alors on reste très chastes et très copains. C'est tout à fait insupportable, et je me demande combien de temps va durer cette neutralité factice.

Je me torture l'esprit pour savoir de qui je suis amoureuse. De Marek ou de François ? De mon Polonais exotique, sombre, romantique et lointain, qui me prend pour une étoile et avec qui j'ai vécu de si beaux moments, avec qui j'ai vécu tant de premières fois ? Ou de mon presque voisin, mon beau presque voisin, fonceur et exubérant, qui me connaît mieux que moi-même, qui veut changer le monde et qui a l'avantage d'être souvent présent ?

Je ne sais pas, je ne veux pas savoir, et, ne sachant pas, je m'arrange pour les favoriser également l'un et l'autre. Quand je souris à l'un, je souris ensuite à l'autre. Si je parle à l'un, je m'arrange pour parler à l'autre tout de suite après. Je partage également mon temps et mes attentions entre les deux, ou alors je reste à mi-chemin, la tête d'un côté, les pieds de l'autre, le cœur qui oscille entre les deux. J'ai l'impression d'être écartelée, physiquement et mentalement, et je n'aime pas ça du tout.

Il va falloir qu'il se passe quelque chose.

***

Il s'est passé quelque chose. Quelque chose dont je ne suis pas particulièrement fière, mais quelque chose quand même.

J'ai bu. Je me suis soûlée comme jamais je n'aurais cru possible. J'ai été malade comme jamais je n'aurais cru possible. Et, bizarrement, ça m'a clarifié les idées (après, parce que, pendant, je dois dire que tout était assez brumeux)...

Hier soir, Marek est allé acheter de la bière, lui qui a presque l'âge requis pour le faire, et nous nous sommes mis à boire tous les trois, même moi qui pourtant déteste la bière. Les premières gorgées ont été atroces, mais, après, ça s'est mis à couler tout seul. À un moment donné, je me suis rendu compte que, pour la première fois depuis des jours, je me sentais à l'aise. À l'aise, pétillante et plutôt audacieuse. J'étais bien, entre mes deux gars. Je me souviens de les avoir touchés à tour de rôle, d'avoir embrassé Marek, puis François, de m'être dit que j'étais folle de vouloir choisir à tout prix, que, puisque j'avais la chance d'avoir deux chums, il fallait en profiter. Et pourquoi pas tout de suite?

J'ai continué à boire. Je me suis collée contre Marek, qui s'est laissé faire. J'ai fait signe à François de venir nous rejoindre, et il s'est approché.

« Allez, profites-en toi aussi. Depuis le temps que tu en as envie. »

J'avais la voix un peu pâteuse, mais c'était bien le dernier de mes soucis.

« Arrête, Cass, pendant qu'il est encore temps. Ne fais pas des choses que tu pourrais regretter.

— Oh la la! quel sérieux! Et moi qui te croyais drôle... Tu es sûr que tu veux que j'arrête? Tu es sûr que tu ne veux pas en voir un peu plus long? »

Là, s'il ne m'avait pas arrêtée, je crois bien que je leur faisais un strip-tease.

«Ça suffit, Cass! Tu es ridicule.

— Ah oui? Je suis ridicule? Eh bien, tu vas voir ce que tu vas voir... »

J'ai pris une autre bière, j'en ai vidé la moitié d'un coup, je me suis tournée vers les garçons, François qui avait l'air méchant et Marek qui avait l'air catastrophé, et… Et tout a commencé à tourner.

Le moment d'avant, je me sentais bien, je me sentais en forme, j'aurais pu conquérir le monde. Trente secondes plus tard, tout s'est mis à bouger en même temps, autour de moi et en moi.

« Je… je crois que je vais être malade », ai-je réussi à balbutier avant de m'allonger par terre, très très doucement.

J'étais étendue sur le dos, immobile, bras et jambes arrimés au sol, et je me disais que ça finirait peut-être par passer, si je ne bougeais pas trop, si je restais là, si j'attendais un peu…

« Ça tourne…

— Vomis un bon coup, m'a conseillé François. Ça devrait te faire du bien.

— Mais je ne veux pas… Je… (Je me suis mise à pleurer.) Je voudrais mourir ! »

Mais je ne suis pas morte. Je me suis seulement mise à vomir, vomir et vomir encore. Tout y est passé, mes bières, puis mon souper, puis mon dîner, puis une bile aigre qui avait du mal à sortir. J'avais l'impression de me vider corps et âme. Vomir à rendre l'âme : ce serait une bonne façon de décrire les choses.

Ça a duré longtemps. Et, tout ce temps, François est resté à côté de moi, à me soutenir la tête, à me passer de l'eau dans la figure, à m'essuyer le cou et les mains. Je ne sais pas où était Marek ni ce qu'il faisait.

Quand ça a été fini (oui, ça a fini par finir), quand je n'ai plus rien eu à rendre, je me suis traînée jusqu'à la tente avec l'aide de François (je me sentais faible, faible…). Je me suis couchée tout habillée et je suis tombée endormie tout de suite.

***

Le lendemain (ce matin), je n'étais pas particulièrement brillante quand je me suis levée, mais j'étais vivante, à peu près intacte… et très gênée.

« Bonjour, ai-je murmuré du côté des garçons, qui étaient assis à quelques mètres de la tente, face à la mer.

— Bonjour, a répondu Marek, lui aussi très gêné.

— Ça va mieux ? a demandé François, très à l'aise.

— Oui, je crois. Un peu flageolante, mais… »

François a ri.

« Oui, je sais. Plutôt atroce comme sensation, non ?

— Ça t'est déjà arrivé ?

— Eh oui… Et pas juste une fois. »

Je lui ai souri de loin (je puais comme c'est pas permis), et j'ai fait une longue trempette dans la mer (ah ! écarter de moi ces odeurs écœurantes !).

***

Après le déjeuner, j'ai dit aux deux gars :

« Messieurs, j'ai besoin de réfléchir. Donnez-moi vingt-quatre heures de liberté, et on se retrouve ici à neuf heures demain matin. Ça vous va ? »

De toute façon, ils n'avaient pas tellement le choix. Je suis partie avec une des tentes, que j'ai traînée sur quelques centaines de mètres le long de la plage. Je me suis installée dans un petit coin tranquille. Et j'ai pensé.

J'ai pensé à ces paroles que François m'avait dites, quelques semaines auparavant. « Tu veux que tout le monde t'aime, tu fais tout pour ça, mais après tu te sauves en courant » (ou quelque chose dans ce genre-là). Aujourd'hui, je comprenais enfin qu'il avait raison, François. Je voulais que tout le monde m'aime. J'aimais ça qu'on m'aime. J'étais flattée de l'intérêt que me portaient François et Marek. À vrai dire, au printemps, j'étais bien. J'avais un amoureux transi au loin, pour les rêves et les sentiments enflammés (c'est facile, de loin). Et un autre près de moi, avec lequel il ne se passait rien (oh non!), mais qui servait à me remonter le moral au jour le jour, qui me permettait de me sentir intéressante et attirante.

Au fond (autant essayer de suivre la vérité jusqu'au bout), je voulais tout, mais je ne donnais rien (aïe! c'est difficile à avouer, ça). Je voulais tout, mais de loin, sans m'engager à fond, sans trop me compromettre. À la surface des choses, comme toujours.

Mais ça ne pouvait pas durer toujours (à preuve, les derniers jours, sinon les dernières semaines). À un moment donné, tout ça ne pouvait que s'effondrer, les différents morceaux de mon petit univers ne pouvaient que s'entrechoquer, se heurter, s'affronter jusqu'à ce que quelque chose arrive. Non, pas jusqu'à ce que quelque chose arrive. Jusqu'à ce que moi je décide quelque chose.

Parce que tout est là, dans le fond. Il faut que je choisisse, il faut que je prenne une décision, il faut que je regarde au fond de moi et que je sache enfin ce que je veux. Jusqu'ici, j'ai laissé les choses choisir à ma place, ou les autres. « Tirez-moi à pile ou face », ai-je dit à Marek et à François. J'aurais été bien soulagée qu'ils prennent une décision pour moi, n'importe laquelle. Je n'aurais été responsable de rien, et surtout pas de la peine que ressentira forcément l'un des deux. Ni responsable ni coupable. La conscience en paix.

Choisir. Se tromper. Assumer ses responsabilités. Faire face. Je suppose que c'est ça que ça veut dire, grandir.

Mais pourquoi faut-il que ce soit si difficile?

***

Marek et François m'attendaient comme prévu.

« François, s'il te plaît, pourrais-tu nous laisser pour quelques heures, Marek et moi? Tu pourrais revenir vers midi…

Il m'a regardée. Il a regardé Marek. Il a hoché la tête.

« Je vais vous laisser toute la journée. Si je revenais vers cinq heures, ça irait ?

— Ça irait. »

***

J'avais beau savoir ce que je voulais dire, j'avais beau avoir réfléchi à la meilleure façon de le dire, ça restait difficile. Difficile et douloureux. Finalement, c'est Marek qui l'a dit le premier.

« C'est François, n'est-ce pas ? »

Sa voix était plus rauque que d'habitude.

J'ai dit oui, très doucement, et en le regardant bien en face.

« Je suppose que c'est plus facile comme ça, a commencé Marek. Plus pratique…

— Pas vraiment… »

Marek a eu l'air étonné, et j'ai essayé d'expliquer.

« Ça a l'air plus facile. François et moi, on habite la même ville, le même quartier, on va à la même école… Forcément, c'est plus facile de se voir, d'être ensemble. Ça ne veut pas dire que c'est plus facile de s'aimer. Pour la plupart des gens peut-être que oui, mais pour moi, qui ai plutôt tendance à favoriser les rêves et à fuir la réalité… eh bien, un amour lointain, un amour que j'idéalisais et qui m'idéalisait, ça faisait plutôt mon affaire. Je… je m'excuse, Marek. Je t'aime beaucoup, je pensais que je t'aimais d'amour, mais je me trompais. Et je te trompais. Je t'aimais de loin, je t'aimais dans mes rêves, dans mes souvenirs, dans tout ce qui n'est peut-être que du vent.

— Adieu, le rêve. Réalité, me voici ! a dit Marek d'une voix amère.

— Réalité, me voici, oui. Mais pas vraiment adieu le rêve. Avec François, c'est un autre genre de rêve. Un rêve ancré dans la réalité. Un rêve qui change, qui grandit, qui prend forme au jour le jour…

— Arrête ! » a dit Marek avant de se mettre à pleurer.

Il pleurait mal, avec des soubresauts de tout le corps, des sanglots étranglés et des tics qui lui déformaient la bouche.

Je me suis approchée. J'ai mis mes bras autour de lui et je l'ai serré fort. Je pleurais moi aussi.

« Je ne sais pas ce que ça va donner, François et moi. Je sais que ça va être dur. Je sais qu'on va avoir à bâtir notre amour jour après jour, dans les grandes et les petites choses. Je sais que je ne vais pas changer du jour au lendemain et que je vais prendre peur souvent, que je vais vouloir tout laisser tomber et me réfugier dans mon monde fermé et rassurant. Mais je sais aussi que j'ai le goût de cette aventure à deux, que j'ai le goût de vivre ça avec François.

— C'est un chic type, a murmuré Marek. J'aimerais bien dire et croire que c'est un salaud, mais ce n'est pas vrai.

— Je sais… Et toi aussi, tu es un chic type, un garçon merveilleux. Tu sais, jamais… jamais je n'oublierai ce qu'on a vécu ensemble. C'était beau, et c'était grand, et…

— J'aimerais mieux qu'on n'en parle pas. »

Je me suis tue. J'ai continué à pleurer doucement. J'ai continué à le serrer fort dans mes bras.

Un peu plus tard, tout naturellement, on a fait l'amour une dernière fois. C'était doux, lent et déchirant. C'était aussi très pur. Je ne crois pas que François puisse se sentir lésé ou trahi.

Après, nous sommes entrés dans la mer, nous nous sommes copieusement aspergés l'un l'autre, et nous avons enfin été capables de sourire.

***

« Je vais partir, a dit Marek après s'être séché.

— Tu vas aller où ?

— Je ne sais pas. Je ne peux pas dire que ça me préoccupe beaucoup.

— Tu ne vas pas faire de bêtises, au moins ? »

Il a souri, il a fait non de la tête, il m'a ébouriffé les cheveux.

« Je t'écrirai, un jour… »

J'ai hoché la tête. J'étais incapable de parler.

***

Je me suis éloignée pendant qu'il faisait ses bagages, qu'il pliait sa tente. Je ne sais pas trop ce que j'aurais fait là.

Quand il a été prêt à partir, il m'a appelée. Nous nous sommes regardés en silence un moment, les larmes aux yeux. L'espace d'un instant, j'ai paniqué. Qu'est-ce que j'étais en train de faire ? Qu'est-ce que j'étais en train de nous faire ? Si je voulais, je… Il était encore temps !

Mais le moment de panique a passé, et je n'ai rien dit.

Nous ne nous sommes pas touchés, même pas du bout des doigts.

Il est monté sur sa bicyclette.

Il m'a fait un signe de la main.

Il est parti.

***

Et moi j'attends. Une fois de plus, mais pas de la même façon.

Il est presque cinq heures. François devrait arriver d'une minute à l'autre.

Je n'ai pas la moindre idée de ce qui va nous arriver.

ÉPILOGUE

L'ÉTÉ DE CONSTANCE

Un matin de juin, dans une île au milieu du fleuve

Quinze ans. Il s'est passé quinze ans depuis cet été où je suis partie pour New York sans avoir la moindre idée de ce qui m'attendait. Cet été qui, je m'en rends compte maintenant, a été un moment charnière dans ma vie. La fin de quelque chose qui était sans doute l'enfance. Le début de… De quoi, au juste ? De l'âge adulte ? Me voici à l'aube de mes trente ans, et mère depuis dix-huit jours, et par moments je ne me sens pas tellement plus adulte que la Cassiopée de quinze ans qui a pris le train pour New York cet été-là afin de prouver à tous, et surtout à elle-même, qu'elle était grande et responsable…

C'est pour toi, ou grâce à toi, Constance – toute petite fille qui occupe une place immense dans ma vie –, que je reprends la plume aujourd'hui. Pour faire le point, pour voir un peu où j'en suis, et surtout pour te dire que je t'aime – te le dire autrement que par des caresses et des câlins, des mots doux chuchotés à ton oreille, des baisers posés sur ton front ou sur ton bedon, et cette chaleur que nous partageons, des heures durant, quand tu es dans mes bras, tout contre moi, quand ta petite bouche avide s'empare de mon sein et que tu bois goulûment, les yeux fermés, avec une vigueur qui ne cesse de m'impressionner. Tu veux vivre, petite Constance, et c'est beau à voir. Je te souhaite de toujours mordre dans la vie avec l'énergie que tu mets aujourd'hui à téter.

Je te décris l'endroit où nous sommes, d'accord ? Une petite maison dans une île au milieu du fleuve, en face de Montmagny.

J'aime les îles, je crois que tu vas découvrir ça assez vite, ma cocotte. Une île, donc. Ni trop petite ni trop grande. Avec juste ce qu'il faut de rochers, de battures, d'espace et de grand vent pour qu'on puisse marcher longtemps, respirer profondément, s'emplir les yeux et l'âme de lumière et d'immensité.

La maison que nous avons louée pour l'été est située à l'extrémité d'une pointe qui s'avance dans le fleuve du côté nord de l'île. À marée haute, les vagues nous entourent presque complètement. À marée basse, comme maintenant, des canards et des pluviers fouillent la vase et les flaques entre les herbes à la recherche de nourriture. Hier, j'ai même vu un grand héron. Droit devant, des îlots rocheux et de petites îles se découpent sur la muraille sombre des montagnes qui bordent la rive nord du fleuve. Par temps brumeux, ces montagnes disparaissent, et on se croirait alors face à l'océan, ciel et fleuve mêlés dans les gris infiniment changeants du brouillard et des nuages.

Pour l'instant, nous sommes seules ici, toi et moi. Ton père viendra nous rejoindre dans une dizaine de jours, une fois l'année scolaire terminée (il enseigne les mathématiques au secondaire) et le déménagement effectué (notre ancien appartement était vraiment trop petit pour trois). Ces deux semaines de séparation, prévues depuis longtemps, ont semblé s'allonger au fur et à mesure que la date de départ approchait, au point de nous paraître interminables quand est venu le temps de nous quitter.

« Peut-être que Constance va s'être transformée en ado pendant mon absence... » a dit ton père d'un air catastrophé au moment où nous t'avons installée dans ton siège d'auto.

J'ai eu beau lui dire qu'il n'allait pas rater d'étapes cruciales de ton développement et qu'il n'aurait aucun mal à te reconnaître (« c'est le bébé qui sera dans mes bras »), il n'était pas rassuré.

« Promets-moi que tu n'auras pas commencé à te maquiller et à jouer de la trompette, a-t-il dit en se penchant vers toi. Promets-moi que tu ne sauras pas encore aller à bicyclette.

Promets-moi que tu ne connaîtras pas plus de vingt mots et que tu apprendras très vite à dire papa. Papa… Pa-pa ! »

J'ai senti qu'il était vraiment inquiet, sous ses airs blagueurs, et j'ai été envahie par une violente bouffée d'amour pour lui.

« Ne t'inquiète pas : elle va t'aimer, ta fille… »

Il a tourné les yeux vers moi et il a eu ce sourire très doux qui, même après tout ce temps, me chavire toujours autant. Puis il a posé le bout de son index sur ton nez minuscule, il a dit « Bon voyage, petite Constance, et à bientôt », il a vérifié ton siège une fois de plus, il a refermé la portière et il a fait le tour de la voiture.

« Bon voyage, grande Cassiopée », a-t-il murmuré en posant son index sur mon nez à moi – plus volumineux que le tien, je dois l'avouer. « À très bientôt, madame mon amour. »

Il s'est écarté, et j'ai pu démarrer, quitter ma place de stationnement, commencer à rouler. Au coin de la rue, j'ai jeté un coup d'œil dans le rétroviseur : il était toujours là, immobile sur le trottoir, à nous regarder nous éloigner.

***

C'est en faisant mon grand ménage d'avant déménagement que je suis tombée sur le journal intime que j'ai tenu durant mon adolescence et qui remplit quelques cahiers aux couvertures défraîchies et aux coins abîmés (en fait, le dernier n'était pas entièrement rempli, et c'est dans ce cahier que j'écris présentement). J'ai commencé par le feuilleter rapidement, presque machinalement, mais je me suis vite prise au jeu de la mémoire et des souvenirs. Abandonnant les boîtes à moitié remplies et les piles de vêtements et de papiers, je me suis plongée dans la vie, les réflexions et les émotions de celle que j'étais il y a quinze ans.

Certaines scènes, certaines images étaient encore très présentes en moi ; d'autres, que j'avais complètement oubliées, me revenaient et réveillaient à leur tour d'autres souvenirs. J'ai revu Marek, François, Sophie, Karol, Andrzej, Suzie, ma mère et Jacques il y a quinze ans, Amélie, ma presque sœur, quand elle était encore bébé… J'ai aussi revu les visages de gens auxquels je n'avais pas pensé depuis des années, des lieux où je n'étais jamais retournée. Et, tout au long de ma lecture, j'ai été assaillie par les émotions les plus diverses : nostalgie, fierté, malaise, amusement, remords, étonnement, tendresse…

Par moments, je me sentais très proche de la Cassiopée que je retrouvais au fil des pages. D'autres fois, mes comportements passés m'emplissaient d'une stupéfaction incrédule. Comment avais-je pu partir de Montréal comme ça, sans en parler à ma mère et sans prévenir Jean-Claude ? Une telle inconscience me donne le vertige. À présent que je suis mère à mon tour, j'essaie d'imaginer ce que ma mère a dû vivre, pendant ces quelques jours où elle ne savait pas où j'étais ni même si j'étais vivante, et j'ai l'impression d'étouffer.

Constance, mon bébé, ma toute petite fille qui aura un jour quinze ans, Constance, je t'en supplie, ne me fais jamais un coup pareil ! Je relis ce que j'ai écrit il y a quinze ans, au YMCA de New York, quand j'ai pris conscience que ma mère devait être folle d'inquiétude, et je suis atterrée par mon raisonnement d'alors : *Qu'est-ce que je fais ? Je lui téléphone ? Non, pas à une heure pareille, et surtout pas avant d'avoir rejoint Jean-Claude. Je lui dirais quoi, si je l'appelais maintenant ? « Maman, je sais pas quoi faire », « Maman, je suis perdue », « Maman, viens chercher ta petite fille »… Pas question ! J'ai ma fierté, moi…* Ma fierté… Il me semble que j'enrobais d'un mot bien noble un sentiment qui l'était beaucoup moins : je ne voulais pas admettre que j'avais fait une bêtise, je ne voulais pas être prise en faute, je ne voulais surtout pas avouer que j'avais besoin d'aide. Mon amour-propre était davantage en cause que ma fierté, et mon attitude reflète surtout ma totale incapacité à me mettre dans la peau de ma mère (en mots plus simples, on pourrait appeler ça de l'égoïsme pur). Moi, je savais qu'il ne m'était rien arrivé de mal et que j'étais en sécurité. Mais ma mère, qui n'avait aucun moyen de savoir que j'étais saine et sauve, a dû vivre des heures atroces…

Constance, s'il t'arrive un jour de faire des bêtises ou de te trouver mal prise, rappelle-toi que je serai toujours là pour toi et que je t'aimerai toujours, quoi qu'il arrive. N'hésite jamais, jamais, jamais à m'appeler, quelle que soit l'heure, quelles que soient les circonstances. Et j'espère de tout cœur que nous ne laisserons jamais de stupides considérations de fierté ou d'amour-propre se dresser entre nous. De toute façon, s'il y a une chose qui m'apparaît de plus en plus claire, c'est que… Oups ! je t'entends pleurer, petite Constance constamment affamée. J'arrive, mon bébé, j'arrive…

***

Où en étais-je ? Une chose qui m'apparaît de plus en plus claire… En fait, pour l'instant, ce qui m'apparaît de plus en plus clair, c'est que la présence d'un bébé bouleverse complètement une vie, même dans ses aspects les plus terre à terre. Impossible pour moi de planifier quoi que ce soit, de diriger le cours de mes journées comme je l'entends. Je suis à la merci de cette petite boule de vie dont les besoins règlent chaque instant de chaque journée – et de chaque nuit ! Tétées, rots, changements de couche, bains, pleurs… Ce n'est que lorsque mademoiselle Constance daigne s'endormir que je peux me brosser les dents, prendre une douche, lire un peu, gribouiller quelques lignes dans ce cahier. Ou encore tenter de récupérer le sommeil perdu. Depuis l'accouchement, je n'ai jamais pu dormir plus de deux heures d'affilée, et je suis épuisée, bien sûr, tout en ayant le sentiment d'être au-delà de la fatigue ou de l'épuisement. Je flotte dans un état où se mêlent l'euphorie, l'incrédulité et la fragilité, mais aussi une attention accrue au moindre détail, aux plus petites nuances de la lumière ou des pleurs de Constance. Je me sens à la fois engourdie et en état d'alerte perpétuel. Émerveillée et terrifiée par la formidable responsabilité de prendre soin d'un bébé.

Dans les semaines qui ont précédé l'accouchement, j'ai fait des tas de rêves qui tournaient tous autour du même thème : j'étais une mère complètement irresponsable, qui oubliait son bébé dans les endroits les plus incongrus (panier à linge sale, chariot de supermarché, tiroir de classeur) et qui ne pensait à le récupérer que plusieurs jours ou plusieurs semaines plus tard... Au moins, depuis la naissance de Constance, je suis rassurée sur ce point : si, par extraordinaire, il m'arrivait d'oublier son existence, cette jeune demoiselle se rappellerait très rapidement et très efficacement à mon souvenir. Même sourde, je percevrais les vibrations provoquées par ses hurlements quand elle trouve que je tarde un peu trop à répondre à ses appels...

Mais, bon, pour l'instant, Constance dort profondément, et j'en profite pour écrire. Le problème, c'est que je ne sais jamais combien de temps elle va dormir. Comme elle se réveille parfois au bout de dix minutes, je n'ose jamais entreprendre d'activités trop longues. Hier après-midi, je ne sais trop pourquoi, elle a dormi presque trois heures (un record !), mais j'ai passé les deux dernières à attendre qu'elle se réveille, persuadée que ça ne saurait tarder et que je n'avais pas le temps de commencer quoi que ce soit.

Même quand je veux parler d'autre chose, je finis toujours par revenir à Constance. Je pense à elle continuellement, je parle d'elle à tout bout de champ, je n'ai même aucune envie de m'intéresser à autre chose. Je la regarde dormir, je la prends dans mes bras, je lui fais des « oh », des « ah » et des « rrrrourrrou-rrrou ». Je note l'heure et la durée des tétées (en précisant combien de minutes ont été consacrées à chaque sein), le nombre de cacas (avec force détails sur leur couleur, leur consistance et leur odeur), la durée des dodos, le nombre de pleurs (ainsi que leur durée et leur intensité, cela va de soi, de même que la raison probable de leur déclenchement). Autrement dit, je suis gaga, complètement gaga. Ça va passer, je suppose, ou du moins s'atténuer, mais pour l'instant je ne m'imagine pas autrement qu'obsédée par le miracle qu'est ce tout petit bébé. Je peux quand même faire un effort et tenter de retrouver ce que je voulais dire, hier, quand les pleurs de Constance ont interrompu ma séance d'écriture.

Il était question de fierté et d'amour-propre. Plus le temps passe, plus j'ai l'impression que ces sentiments n'ont pas leur place entre gens qui s'aiment. Personne n'est parfait ni infaillible. Tout le monde a ses moments de doute, de faiblesse, de détresse et d'égarement. Tout le monde a ses contradictions. Et si on ne peut pas se montrer tel qu'on est, nu et vulnérable, avec ceux qu'on aime, alors il y a quelque chose qui cloche. C'est peut-être à ça qu'on reconnaît un amour véritable : quand on peut se permettre de ne pas être parfait tout le temps sans craindre de perdre cet amour. Quand on n'a pas à toujours être à la hauteur. Quand on a le droit d'être grognon ou moche, de se tromper, de changer d'avis, de recommencer…

C'est comme ça que je me sens avec Jean-François, mon amour, le père de Constance – à ne pas confondre avec le François de mes seize ans, celui qui m'a suivie jusque sur la Côte-Nord et dont la présence m'a obligée, pour la première fois de ma vie, à faire un choix déchirant, lourd de conséquences pour moi comme pour d'autres. Quelle que soit ma décision, je savais que je blesserais quelqu'un à qui je ne souhaitais pourtant aucun mal, quelqu'un que j'aimais et qui ne méritait certainement pas cela. *Choisir. Se tromper. Assumer ses responsabilités. Faire face. Je suppose que c'est ça que ça veut dire, grandir. Mais pourquoi faut-il que ce soit si difficile ?* Quatorze ans ont passé depuis que j'ai écrit ces mots, mais ils expriment encore parfaitement ce que je pense et ressens très souvent. Je continue de trouver difficile de faire des choix ou de prendre des décisions importantes. En même temps, je me dis que personne ne peut faire ces choix à ma place et qu'il m'appartient de faire en sorte que ma vie me ressemble, qu'elle réponde à mes goûts, à mes besoins, à mes convictions… J'ai l'impression que je bâtis ma vie plutôt que de la subir, et j'en suis heureuse. Ça n'empêche ni les ennuis ni les jours de déprime, mais au moins j'ai la satisfaction de pouvoir assumer ce qui m'arrive, le bon comme le moins bon. (Je relis ce que je viens d'écrire, et je me trouve assez pompeuse merci, mais tant pis, j'ai mes moments ronflants et prétentieux et je les assume aussi, bon !)

Je reviens au François de mes seize ans, qui a également été celui de mes dix-sept et de mes dix-huit ans. Nous nous sommes fréquentés pendant près de trois ans, et puis nous nous sommes éloignés, sans cris, sans crise, sans drame. Avec tristesse, cependant. On aurait aimé que ça dure, on aimait l'idée d'un amour éternel. La fin d'un amour a un arrière-goût d'échec. Mais, au bout de ces quelques années passées ensemble, nous avons dû nous rendre à l'évidence : nous n'avions plus le même rythme ni les mêmes aspirations. François a toujours rêvé de sauver le monde, ou du moins de l'améliorer. Au fil des ans, il est devenu de plus en plus militant, de plus en plus revendicateur. J'aurais voulu me révolter ou m'enthousiasmer autant que lui, embrasser les mêmes causes avec autant de courage et de générosité, mais je n'avais pas l'étoffe d'une héroïne ni d'une *pasionaria*. J'étais mal à l'aise au sein des groupes de militants convaincus. Je me sentais usurpatrice et perpétuellement coupable, ce qui est vite devenu inconfortable.

Pour tout dire, je me sentais plus ver de terre que jamais.

Comme j'ai toujours aimé lire, j'avais entrepris des études en littérature. Ce n'était pas désagréable, mais je ne voyais pas vraiment où je m'en allais avec ça. Il me semblait même que je lisais avec moins d'intérêt qu'avant. Je ne me pâmais pas sur les mêmes livres que mes professeurs, qui traitaient souvent de haut les auteurs qui me touchaient le plus. Là non plus, je ne me sentais pas vraiment à ma place. Ver de terre un jour, ver de terre toujours ?

Quand j'y repense, je me rends compte que la fin de l'adolescence et le début de l'âge adulte ont été des périodes grises de ma vie. Pas tragiques ni désespérantes, non, mais pas emballantes non plus. Un peu de déprime, beaucoup de désœuvrement, pas mal d'appréhension et de désenchantement face à l'avenir. Étudier, trouver une job, travailler toute l'année à contrecœur en rêvant aux vacances d'été : est-ce que c'était ça, vivre ?

Puis, un peu par hasard, je me suis retrouvée bénévole dans un centre pour jeunes, ce qui m'a permis de découvrir que je me sentais bien au milieu des adolescents. Et, un après-midi de pluie, pendant que je parlais avec un petit groupe d'un livre qui m'avait particulièrement plu, j'ai eu quelque chose comme une illumination.

Depuis des années, je déplorais l'absence de passion dans ma vie, sans me rendre compte que j'en avais une depuis toujours. Qu'est-ce que j'aimais faire plus que tout ? Lire, plonger dans des mondes inconnus, me mettre dans la peau de personnages différents, vivre toutes sortes d'émotions, apprendre des tas de choses utiles ou inutiles… Ça faisait tellement partie de moi que je ne voyais même pas ça comme une passion. Je me laissais impressionner par les passions des autres, plus exotiques et plus éclatantes que la mienne : Sophie et son violoncelle, Marek et ses baleines, François et ses luttes héroïques… Ma passion à moi n'était ni exotique ni tonitruante, mais elle était bien réelle. Et j'ai eu le goût de la partager avec d'autres.

C'est comme ça que je suis devenue professeure de français au secondaire.

***

Rien noté depuis deux jours. Grand coup de fatigue – et petit coup de cafard. J'ai hâte que Jean-François vienne nous rejoindre. On se parle tous les jours au téléphone, mais ça ne remplace pas une véritable présence (et une voix au téléphone ne peut pas s'occuper d'un bébé qui pleure). L'allaitement ne va pas génialement bien, ces jours-ci, et ça m'inquiète (sans compter que les gerçures aux mamelons, ça fait mal – je ne peux réprimer ni ma grimace ni mon mouvement de recul chaque fois que Constance s'empare d'un de mes seins, et j'ai peur qu'elle le sente : peut-être suis-je en train de la traumatiser pour la vie). De plus, mon pauvre bébé a le visage couvert de petits boutons qui me tracassent beaucoup, malgré les paroles rassurantes de l'infirmière et du médecin du CLSC. Ils parlent de réaction au changement de lieu, de régime, d'air, de température… Changement de régime ? « Mais je l'allaite ! ai-je répliqué. Elle n'a pas changé de régime : j'ai les mêmes seins et le même lait qu'à Montréal ! » « Votre régime à vous a probablement changé… et il a des effets sur votre lait. L'eau n'est pas la même que chez vous, par exemple… »

Ma pauvre Constance, tu n'as que trois semaines, et j'ai déjà commencé à te donner des boutons. Qu'est-ce que ça va être quand tu vas être en pleine révolte adolescente (et qu'en plus tu vas te rappeler que je grimaçais en te donnant le sein !) ?

***

« … des projets, des rêves. Vous devez bien en avoir, vous, des rêves ? »

J'avais vingt et un ans, j'étais étudiante en enseignement du français au secondaire et j'effectuais mon premier stage, dans une école d'un quartier défavorisé. Je ne me rappelle plus vraiment comment j'en étais arrivée à parler des rêves et des projets qu'on nourrit, qui nous motivent, qui peuvent donner un sens à notre vie…

Une fille a lancé, du fond de la classe :

« Moi, j'en ai un !

— Et peux-tu nous dire ce que c'est ?

— Gagner à la Loto. »

Ce n'était pas exactement ce que j'avais en tête, mais pourquoi pas ?

« Et qu'est-ce que tu ferais, si tu gagnais à la Loto ?

— Je magasinerais. »

Je ne m'attendais pas nécessairement à ce qu'elle donne tout son argent à des œuvres de charité ni à ce qu'elle règle les dettes des pays en voie de développement, mais ses projets me semblaient un peu minces.

« Tu magasinerais... O.K. Mais après ? Au bout d'une semaine, deux semaines, un mois... Il y a des limites au magasinage, non ? »

La fille m'a regardée d'un air éberlué.

« Comment ça ?

— Tu ne peux quand même pas magasiner *tout le temps.*

— Ben oui... »

J'ai pensé lui demander ce qu'elle ferait quand elle aurait déjà cinquante paires de chaussures, une armoire pleine de produits de maquillage, cent pantalons, trois réfrigérateurs, mais je me suis retenue. J'avais peur de l'entendre répondre qu'elle en achèterait d'autres.

La réaction de cette adolescente m'a beaucoup troublée, et elle me trouble encore, tant par sa conception du bonheur (magasiner) que par sa façon d'y arriver (gagner à la Loto). Je me disais que sa vie s'annonçait comme une longue suite de frustrations – y compris, et peut-être même surtout, si elle gagnait à la Loto. Elle n'avait que quatorze ou quinze ans, et il me semblait que sa vie était déjà finie.

Depuis, dans mes stages ou dans mes cours, j'ai connu quelques adolescents qui m'ont rappelé cette fille. Des jeunes sans rêves et sans projets, incapables d'imaginer faire quelque chose de leur vie. Chaque fois, ça m'apparaît comme un gâchis épouvantable. S'il n'y a rien de plus beau que de voir des jeunes aux yeux brillants, remplis de projets et d'espoir, il n'y a rien de plus triste que de voir des jeunes éteints, usés, amorphes.

J'ai l'impression que c'est auprès de ceux-ci que mon rôle a le plus d'importance. Je suis peut-être naïve ou idéaliste, mais, au-delà des analyses de texte et des règles de grammaire, je voudrais parvenir à allumer une petite flamme chez eux. À déclencher leur intérêt pour quelque chose, n'importe quoi, les voyages ou la boxe, la musique ou la mécanique automobile, l'entomologie ou la fabrication du pain... Je n'arrive pas à croire que quelqu'un n'éprouve aucun intérêt pour quoi que ce soit. Le problème, c'est de trouver ce qui nous convient à nous, et qui n'existe peut-être pas dans notre entourage immédiat. Le plus grand obstacle, c'est sûrement de renoncer à chercher avant même d'avoir commencé.

Au début de ma carrière, je croyais qu'il me suffirait d'aimer mes élèves et de faire preuve d'enthousiasme pour accomplir des miracles, et je dois dire que mes bilans de fin d'année avaient parfois des goûts d'échec. Avec le temps, j'ai appris à me fixer des buts plus réalistes. Je sais à présent que je ne peux pas plaire à tout le monde et que je ne suis pas seule responsable des succès ou des échecs de mes élèves. Je peux aimer et respecter ceux-ci, leur transmettre un certain nombre de connaissances, me montrer enthousiaste et compréhensive, tenter par toutes sortes de moyens d'aviver leur intérêt et leur curiosité... Mais, comme le dit souvent Jean-François, je ne peux pas *vouloir* à leur place.

Malgré quelques moments de découragement, jamais je n'ai regretté d'avoir choisi l'enseignement. Le métier de prof continue de m'apparaître comme l'un des plus beaux – et des plus essentiels – qui soient. Je ne vois pas comment on pourrait envisager de transformer le monde sans commencer par l'éducation. Et, à ma façon, j'ai le sentiment de participer à un gigantesque effort planétaire en faveur de la justice, de l'égalité, de la dignité... (Non, je ne pense pas à ma contribution planétaire tous les jours – heureusement, car je me sentirais vite écrasée par le poids des responsabilités ! Si je me plonge dans de telles réflexions aujourd'hui, c'est sûrement pour cause de maternité toute neuve, de solitude, de brassage de souvenirs et de trentaine imminente...)

***

Miracle ! Constance a dormi sept heures d'affilée la nuit dernière ! Même que je me suis réveillée avant elle. En voyant l'heure, j'ai paniqué, certaine de la trouver sans vie (existe-t-il un parent qui n'ait jamais imaginé son bébé victime de la mort soudaine du nourrisson ?). Mais Constance était toujours vivante, et même très vivante, comme j'ai pu le constater lorsque je l'ai prise dans mes bras et qu'elle a ouvert les yeux et la bouche, plus affamée que jamais. Elle était tellement excitée qu'elle n'arrivait pas à saisir mon sein et semblait plutôt vouloir s'enfoncer dedans avec un mouvement de vrille. Ma fille se prenait pour un tournevis... Elle a fini par se calmer et par téter normalement, après quoi, repue, elle s'est écrasée contre moi, petite boule chaude et satisfaite. Dire que, parfois, on se demande à quoi ressemble le bonheur.

***

Parlé au téléphone avec ma mère qui, après quinze ans, continue de filer le parfait amour avec Jacques (contrairement à mon père et à Patricia qui, eux, se sont séparés il y a une dizaine d'années).

Elle m'a annoncé que Sophie Kupczynski se produirait avec l'OSM en octobre.

« J'ai pensé vous acheter des billets. Jacques et moi, on va être ravis de garder Constance.

— Excellente idée ! »

Sophie est devenue une violoncelliste de réputation internationale, qui joue avec les plus grands orchestres du monde. Quand elle vient à Montréal, j'essaie toujours d'aller l'entendre. La première fois, deux ou trois ans après ma rupture avec Marek, j'ai longtemps hésité avant de me rendre dans sa loge après le concert. Et si elle ne me reconnaissait pas, si elle me snobait, si elle me faisait la tête parce que j'avais laissé tomber son frère... J'ai fini par me décider, et je ne l'ai pas regretté.

« Cassiopée ! C'est toi ? C'est bien toi ? Je suis tellement heureuse de te voir ! »

Sophie s'est précipitée vers moi, elle m'a plaqué deux baisers sonores sur les joues puis elle m'a tenue par les épaules, à bout de bras, pour me détailler longuement.

« Tu n'as pas changé… Les cheveux un peu plus courts, je crois… »

Les siens étaient toujours aussi longs, aussi blonds, aussi magiques. Et Sophie elle-même était toujours aussi lumineuse.

« Il faudrait bien qu'on se voie plus longtemps, à un moment donné… »

Ça ne s'est jamais fait, comme trop souvent quand on énonce ce genre de phrase. Ce n'est pas de l'hypocrisie, du moins il me semble : au moment où on prononce ces mots, on éprouve *vraiment* l'envie de revoir l'autre personne et on a le sentiment que, cette fois, ça va se faire… même si cette belle certitude s'estompe dès qu'on commence à s'éloigner. Sophie et moi n'avons donc jamais passé une soirée ni même une heure ensemble, mais je continue à lui rendre visite dans sa loge chaque fois qu'elle vient à Montréal. On échange des nouvelles rapides. Je suis enseignante/Je joue du violoncelle. Je suis mariée/Pas moi. Comment va ton père ? Comment vont tes frères ?

Je pose toujours ma question comme ça : « Comment vont tes frères ? » Je n'ai jamais été capable de demander « Comment va Marek ? » ni même de prononcer le nom de Marek, que je n'ai jamais revu et à qui je n'ai jamais reparlé. Je lui ai envoyé, quelques mois après notre expédition sur la Côte-Nord, une lettre un peu coincée qui était un mélange d'excuses, de justifications, de nouvelles de ma vie à Montréal et de vœux pieux pour que nous restions amis. Il n'a pas répondu, et j'avoue que ça m'a soulagée. C'était comme s'il rompait, lui aussi. Nous étions quittes, d'une certaine façon, et je n'avais plus à me sentir (trop) coupable.

Par Sophie, je sais qu'il est océanographe (Karol, lui, est avocat). Il est marié et père de deux petits garçons, des jumeaux qui doivent avoir maintenant trois ou quatre ans. Je ne connais pas le nom de sa femme, ni ce qu'elle fait, et c'est très bien comme ça.

Jamais je n'oublierai Marek, ni tout ce que nous avons vécu ensemble. Je suppose qu'on n'oublie jamais son premier amour, de toute façon, mais il me semble que le mien – doux, tendre et drôle, maladroit parfois, difficile et déchirant par moments – a été particulièrement réussi. Le genre de premier amour qu'on souhaite à ceux qu'on aime. Le genre de premier amour que je te souhaite, petite Constance – mais prends ton temps, surtout, il n'y a rien qui presse !

J'ai grimacé à plusieurs reprises en relisant ce que j'avais écrit pendant notre voyage sur la Côte-Nord. Je ne me rappelais pas avoir été d'aussi mauvaise humeur aussi souvent. Ça ne me ressemble pas. Je ne suis pas parfaite, loin de là, mais la mauvaise humeur n'est pas mon trait le plus marquant. Peut-être que, sans vouloir l'admettre, je savais déjà que mon amour avec Marek était condamné. Peut-être que je préparais le terrain pour la rupture. Peut-être que j'espérais, plus ou moins consciemment, que ce soit lui qui initie cette rupture… Comment savoir, après toutes ces années ? Mais une chose est sûre : si j'avais à lui présenter mes excuses, aujourd'hui, ce ne serait pas pour l'avoir quitté, mais pour lui avoir fait vivre des moments aussi pénibles durant ces semaines-là. Et aussi pour la façon dont je l'ai quitté. Je ne comprends plus trop ce qui m'a poussée à faire l'amour avec lui après lui avoir annoncé que je le quittais. Il me semblait que ça adoucissait le choc, que ça montrait que je l'aimais encore, d'une certaine façon, et que je ne regrettais pas ce qui s'était passé entre nous. À présent, je ne sais plus. Peut-être que c'était surtout cruel de ma part. Peut-être que ça envoyait un message tout croche – va-t'en… mais pas trop loin ; je ne t'aime plus… mais peut-être que oui. Peut-être que c'était une façon de me rassurer, moi, sans trop me préoccuper de ce que ressentait Marek. J'espère seulement que je ne lui ai pas fait trop mal et qu'il garde, lui aussi, des souvenirs très doux de son premier amour.

***

Demain, Constance aura un mois et – joie, bonheur et allégresse ! – Jean-François viendra enfin nous rejoindre. Nous irons l'attendre au quai en fin d'après-midi. Le traversier, dont l'horaire varie au gré des marées, devrait arriver à quatre heures et demie. Je sens que les retrouvailles vont être joyeusement émouvantes. Je sens aussi que je vais mettre de côté mes souvenirs d'adolescence et mes séances d'écriture presque quotidiennes – de toute façon, il ne reste que quelques pages blanches dans mon vieux/ nouveau cahier.

J'ai l'impression d'être dans un cocon hors du temps et de l'espace, depuis que je garde Amélie… J'ai écrit ça il y a quatorze ans et demi, un soir d'hiver et de neige, sans me douter que je pourrais écrire la même chose – à un prénom près – des années plus tard. *J'ai l'impression d'être dans un cocon hors du temps et de l'espace, depuis que je suis dans l'île avec Constance…*

Il y a exactement deux semaines que nous sommes arrivées. Deux semaines à vivre à la fois maintenant (oui, mon bébé, oui, ma belle, les boires et les pleurs et les couches et les nuits entrecoupées, oui, mon bébé, oui, ma toute belle, les guiliguilis et les bouffées d'amour et la chaleur et la proximité et un bonheur tellement intense qu'il en est presque douloureux) et il y a quatorze ou quinze ans (mon Dieu, j'ai fait ça, moi ? tiens, j'avais oublié ce détail, il y a une éternité que je n'avais pas pensé à Karine ou à Samuel, je me demande bien ce qu'ils deviennent). Deux semaines à habiter des îles bien différentes – y compris Montréal, dont j'ai tendance à oublier qu'il s'agit aussi d'une île.

Et deux semaines à être obsédée par Suzie tout en reportant sans cesse le moment de parler d'elle. Parce que ça reste difficile, même après toutes ces années.

Suzie est morte. Elle roulait à bicyclette dans une rue de Montréal. Une portière d'auto s'est ouverte, et mon amie a été projetée sous les roues d'un camion qui passait à ce moment-là. Le chauffeur du camion n'a rien vu. Un accident bête et tragique comme il y en a tant.

C'est arrivé il y a quatorze ans, la veille de mon retour de la Côte-Nord avec François. Je n'ai donc jamais revu Suzie, et je ne lui ai jamais reparlé. Au salon funéraire, sa mère m'a remis la carte postale que je lui avais envoyée avant de savoir que l'arrivée de François allait chambouler mes rapports avec Marek.

« Elle n'est pas signée, mais c'est de toi, n'est-ce pas ? »

Incapable de répondre, j'ai fait oui de la tête.

« Elle l'avait épinglée à la tête de son lit. J'ai pensé que tu aimerais l'avoir. »

J'ai pris la carte. Une fois chez moi, je l'ai insérée dans le cahier qui me servait de journal. Je l'ai retrouvée il y a quelques semaines en même temps que tous mes souvenirs, et elle est là en ce moment, devant moi. *Finalement, ce que ça nous prenait, c'était une île déserte…*

Oh, Suzie, tu n'auras pas su la fin de l'histoire. Tu n'auras même pas su la fin de ton histoire à toi, une histoire qui s'est terminée beaucoup trop tôt. Tu n'auras pas eu le temps d'être psychologue, ni maman, ni divorcée, ni quadragénaire, ni ménopausée, ni vieille dame indigne, ni grand-maman gâteau… La liste pourrait s'allonger à l'infini.

Au début, quand j'ai appris ta mort, je ne voulais pas y croire. Je me répétais que c'était trop injuste, que ça ne pouvait pas t'arriver à toi, que tu étais trop jeune, trop vivante, trop brillante, trop pleine de talents et de projets… Par moments, je trouvais aussi que c'était injuste pour moi. Tu me manquais terriblement, et je t'en voulais de m'avoir laissé tomber. Après, immanquablement, je m'en voulais de penser à moi, à moi qui étais vivante, alors que toi…

Plus tard, dans mes périodes de déprime, je me suis parfois sentie coupable d'être vivante et si peu utile, alors que toi, tu aurais fait des choses tellement extraordinaires !

Aujourd'hui, je me dis que ta mort me permet sans doute d'apprécier encore plus le fait d'être en vie. Je ne sais pas ce que l'avenir me réserve. Je peux vivre très longtemps comme je peux mourir demain matin – ou dans une heure. Mais pour l'instant, j'ai la chance et le bonheur d'être vivante – et d'en être consciente. J'ai parfois le sentiment de vivre doublement, peut-être grâce à toi, Suzie. Mon amie.

***

La mémoire est une chose étrange. Jusqu'à ces dernières semaines, j'étais sûre que Suzie, contrairement à moi, était une fan du chanteur français Renaud. En relisant mon journal intime, j'ai découvert qu'une de nos disputes – oubliée depuis longtemps! – était née du fait que Suzie avait dit qu'elle préférait Francis Cabrel à Renaud. J'ai beau avoir lu ces mots bleu sur blanc dans mon cahier, je n'arrive pas à corriger mes faux souvenirs – des faux souvenirs tellement bien ancrés que j'ai même assisté à un spectacle de Renaud, il y a quelques années, en croyant le faire à la mémoire de Suzie.

Disons-le franchement: ce n'était pas le spectacle du siècle. Renaud était vieilli et boursouflé, il manquait de souffle et de voix, il faussait comme ce n'est pas permis... Malgré tout, il a réussi à m'émouvoir. Par son attitude, d'abord, désarmante de simplicité. Et par ses chansons, quand j'arrivais à en saisir les paroles. Les chansons destinées à sa fille, en particulier, m'ont beaucoup touchée. Quelques vers de l'une d'elles, intitulée *Mistral gagnant*, me trottent souvent dans la tête:

Te raconter enfin qu'il faut aimer la vie
L'aimer même si
Le temps est assassin
Et emporte avec lui les rires des enfants
Et les mistrals gagnants

D'après ce que j'ai compris, un mistral gagnant, c'est une sorte de bonbon. Je ne sais pas à quoi ressemble ce bonbon ni quel goût il a, mais ce n'est pas vraiment important. Ce qui est important, c'est ce que Renaud dit à sa fille et que j'ai envie de dire à ma fille à moi.

Constance, ma petite fille qui semble déjà bien accrochée à la vie, ma petite fille qui vient de se réveiller et qui me réclame à grands cris rageurs, si j'avais à te souhaiter une chose, une seule, ce serait d'aimer la vie. De l'aimer *même si…*

AGMV Marquis
MEMBRE DE SCABRINI MEDIA
Québec, Canada
2002